ChatGPTは神か悪魔か

落合陽一
山口周
野口悠紀雄
井上智洋
深津貴之
和田秀樹
池田清彦

宝島社新書

はじめに

驚異の新ＡＩ「ChatGPT（チャットジーピーティー）」が世界を席巻している。２０２２年11月末に発表された後、わずか5日でユーザー数１００万人、２カ月で1億人を突破。以降も急速に普及が進んでいる。

ブームの背景にあるのは、その汎用性の高さと扱いやすさだ。ChatGPTはチャット形式で人間同士のように自然な対話ができ、あらゆるジャンルの質問にすぐさま回答。プレゼン資料から小説、脚本まで、目的に応じた文章を一瞬で生成できるため、幅広い生活シーンで用いることが可能なのだ。従来のＡＩ操作では必須だったプログラミング言語を習得する必要もない。誰でも直感的に扱えることが、普及を加速させた。実際に国内での利活用も進み、まさに２０２３年は日本における「ChatGPT元年」と言っても過言ではない。

便利さに注目が集まる一方で、ネガティブな見方も強い。ChatGPTを開発した当のOpenAI社CEO・サム・アルトマン氏でさえ、「この技術が悪用されたら、まずいことになる。そのことを声を大にして言いたい。そのために政府と協力したい」と語っているくらいだ（同年5月17日付「ニューズウィーク日本語版」より）。誰でも扱えるがゆえのリスク——例えば犯罪や違法行為に用いられたり、人権や著作権などを侵害したり、独裁や監視社会の進展を招いたりする危険性も高い。かねてより言われていた「AIが人類の仕事を奪う」という脅威論も再燃している。

では一体、ChatGPTは人類が進化を遂げるための救いの神なのか、はたまた人類を滅ぼす悪魔になるのか——。

この大きな命題について、本書では、各分野を代表する7名の識者が徹底検証する。真のAI革命が到来し、大転換の時期を迎えた読者の道標となることを祈る。

2023年9月

宝島社新書編集部

目次

ブックデザイン／鈴木成一デザイン室
本文ＤＴＰ／一條麻耶子
編集協力／落合陽一・井上智洋パート：大野 真
山口周・和田秀樹パート：早川 満
野口悠紀雄パート：松山史恵（纂灯舎）
深津貴之パート：長谷川賢人
池田清彦パート：佐藤勇馬
校正・校閲／聚珍社

第一章
「デジタルネイチャー」の中で人間はベクトルになり、戒名だけが残る

落合陽一（メディアアーティスト）

AIのオープンソース化と加速度的進化

２０１８年に刊行した自著『デジタルネイチャー 生態系を為す汎神化した計算機による侘と寂』（PLANETS／第二次惑星開発委員会）の中で、私は計算機と非計算機がもはや不可分となった、計数的な新しい自然について言及しました。それが「デジタルネイチャー」なわけですが、当時はそうした世界の到来にまだ時間がかかるだろうと結論しました。しかし、ＬＬＭ（大規模言語モデル）が登場しChatGPTが実装できるようになったこともあり、急激にデジタルネイチャーが具体化されてきたと感じています。最後の一ピースがオブジェクトの自動実装であると『デジタルネイチャー』の中では書いてきたわけですが、それができるようになってきました。これは人間が実装を都度行わなくても自動的に探求を進めることに近づいており、大きな進展です。

我々はこれまでの歴史の中で文系と理系の間を行き来し、何かを失い何かを新しく得てきました。ＡＩの発展もこの営みの延長線上にあり、その機能自体も結局は人間が何百年もかけてやってきたものと同じ作業に過ぎません。ただ、それが一瞬で生成されるようになったというだけなのです。これから先は、例えば200年の伝統を積み重ねてアーティストが手で描いてきたものを、わずか0・5秒くらいの時間で計算機が作るようになるでしょう。

そんな加速度的な進化を見せているAIですが、今後の開発を考えたときに重要なのが「オープンソース」の思想だと思います。

1976年にビル・ゲイツらが発表した「ホビイストたちへの公開状」という提言がありますが、彼はそこで「コンピュータは著作物であるから、ソフトウェアにはお金を払いなさい」と語っています。これが、AI開発において貧富の差を生み出している一つの理由です。

スティーブ・ジョブズとともにAppleを創業したスティーブ・ウォズニアックが自作のソフトウェアを無料で配布・共有していたように、ソフトウェア開発の歴史においては、オープンソースという思想・倫理が果たした影響は非常に重要です。

コンピュータギークたちは、どのようにソースコードを共有し、コミュニティをより便利で拡張されたものにしていくのか、という問いかけから、一度開発されたソフトウェアを共有財としたのです。

このようなオープンソースの精神がなければ、情報社会を支えるインフラとしてのソフトウェア自体、成り立たないでしょう。

もし、ソフトウェアに著作権がなければ、みんな自由に使ってよいはずです。しかし、ビル・ゲイツらの「ホビイストたちへの公開状」は、卵かけご飯に著作権があると主張するようなものだったのです。そうなると、卵かけご飯を気軽に食べることはできなくなります。あるいは、肉じゃがのレシピに著作権を主張されたとしたら、大変でしょう。卵かけご飯や肉じゃがに特許を主張されたら、とても困りますよね。この問題はきちんと考えなくてはなりません。

また逆に考えるならば、仮に卵かけご飯に特許を認めてしまったら皆が大変に困るから、人々が後からその特許を取り消すとは思いませんか。

ソフトウェア特許論争というのは、そういう性質のものであり、時代に応じて変わっていくべきだと思います。私自身は現時点で、オープンソースの理念は正しいと考えている立場です。それによって貧富の差も解消されると思います。

当初、ＡＩ開発のイニシアチブで遅れを取った旧facebookのMetaは、すべてオープンにするという方針に舵を切りましたが、これによって近々、驚異的な発展が起こり得るでしょう。実際に公開からわずか5時間で、すぐにMetaのＡＩをベースにした新しいＡＩが出ましたし、次の日にはそれも塗り替えられてしまうような事態が起きています。

ただ、この直角を描くような加速度的な技術進化には、ChatGPTを開発したOpenAIの人間たちですら驚いています。オープン化しすぎて「世界は取り返しのつかないところまで来てしまったのではないか」と危惧しているくらいです。人類の知的産業が機械に取って代わられる日まで、あと2年くらいしかかからないのではないか。つまり、シンギュラリティは２０２５年に来るのではないかということです。技術の超速進化に、私たちの社会制度自体も追いついていない。ディープラーニング（深層学習）の生みの親のひとりであるヤン・ルカンに対して、オープンに公開するのをやめさせろという意見もあるくらいです。

Transformerを開発したGoogleですが、彼らは倫理的な理由でＡＩをオープンソース化することには慎重でした。それはある意味で正しいし、ある意味で正しくないとも言えます。デジタルネイチャーからすれば、オープンにしないことは自然に逆行しているように見えてしまう。けれども、自然に逆行するということは、人間として正しいと言えるかもしれない。そこは価値観であり、一概に「正しさ」で測れるものではありません。

デジタルネイチャーにおいては、こうしたオープンソースの思想が必要不可欠であり、すべてのリソースがオープンにされることでテクノロジーの自然化にはつながっていくでしょう。しかし、それで人類がある意味で滅んでしまうのであれば、果たしてデジタルネイチャーは本当によかったのだろうか。「ちょっと解答は留保させてください」ということになる。

ＡＩ脅威論者はそのような人類のサステナビリティ（持続可能性）について言及しているのだろうと思いますが、ＡＩによって人類の知的発展が相当程度妨げられるならば、人類最後の発明はＡＩだったということになるでしょう。そこで人類史は終わってしまうかもしれない。あるいは「デジタルネイチャーの中で生き続ける」という形で、人類史が存続していくとも考えられます。ChatGPTの中で、ずっとくだらない会話をしながら生きていくということだってあり得る。

詳しくは後述しますが、デジタルネイチャーの中では人間はベクトルになり、戒名だけが残るのです。

デジタルネイチャーと三つの計算方法

では人間が戒名になるとは、どういうことなのか。これを考えるときには、次の三つの要素が重要です。

一つはナチュラルコンピューテーション。簡単に言うならば、計算の結果を得るためにこの世界を計算機として使おうということです。古くは光相関演算、現代では量子コンピュータなどがこれに当たります。例えば、光相関演算は、顔画像認証システムなどへの応用が期待され開発されていました。量子コンピュータはお馴染みですね。

もう一つが、コンピュータシミュレーションです。これは皆さんも馴染みのあるものだと思います。「気象予測などに役立たせることができる気象モデルを作るため、コンピュータで計算する」というようなことは、よくされています。

最後の一つが比較的最近、登場してきた微分可能物理学や微分可能レンダリングと呼ばれるものです。例えばＡＩにおけるディープラーニングの学習過程では、自動微分による計算が用いられ、これによってニューラルネットワークの重みを最適化していきます。この自動微分による最適化をニューラルネットワーク以外に拡張したものが微分可能プログラミングと呼ばれます。これを物理学に応用したものが微分可能物理学であり、レンダリング（データを処理・演算することで画像や映像を表現すること）に応用したものが微分可能レンダリングです。私は最近、「微分可能オントロジー」と言ったりしています。

この場合の「オントロジー」とは、哲学におけるオントロジーではなく、情報学・情報科学におけるオントロジーです。哲学でいうオントロジーは、この世界はどのようにして成り立っているのか、存在そのものを問う学問の「存在論」を意味しています。しかし、情報学・情報科学においては、例えるならばアニメーションを作るようなものなのです。アニメでは、描き込まれているもの以外は存在しない。つまり、世界の仕組みを記述しない限りは、世界そのものを制作し存在させることができない。情報学・情報科学におけるオントロジーとは、まさに概念設計そのものです。例えば、システムを記述する際にしばしば使われる表現で、「オントロジーでいうと、このシステムはこの階層構造で、このクラスの定義で」なんて言い方をしたりします。

ニューラルネットワークがディープラーニングをする際に出てきた副産物として、多項式微分とニューラルネットワークの重み係数を足したり最適化したりすることは、自動微分でやっている計算と同様のものです。微分とニューラルネットワークでの問題解決は、その内部ではよく似たことを行っています。言い換えれば、ＡＩに問題を解かせるということは、微分可能計算で問題を解いているようなものだということです。微分可能というとわかりにくいかもしれませんが、これについては具体的にどんなことなのか、後で述べたいと思います。

ともかく、Googleが開発したTransformer以降、さまざまな自然言語処理のLLMが出てきて――ChatGPTもこれに含まれますが――、ベクトルで入れてベクトルで出てくるという関係性において、自然言語自体も微分可能になったわけです。それはつまり、さらに計算が拡張されたことになります。

このようにして現在、三つの計算方法が出揃いました。一つは自然を計算機として扱う。一つは自然が計算しているのでその自然と同じように計算しようとするもの。そして、これら二つの計算方法がどのように定義されるのか、その成り立ちを説明するオントロジー自体も計算しようというのが、最後の三番目です。

この三つの計算方法が合わさると、計算機の内外でやっていることすべて、いやそれ自体を考えることですら、計算として定義できる。つまり、デジタルネイチャーが計算機同士の接続によって記述できるようになるわけです。前々からこうした話は、『デジタルネイチャー』を含めて自著で語ってきたのですが、それが実装可能になったのは、ここ最近のことです。やはりChatGPT、とりわけGPT－4の登場が大きい。つまり、2023年3月以降のことです。

あらゆるものが微分可能になり、文理の壁が消える

デジタルネイチャーについては、従来の近代的な世界をいかに乗り越えるか、脱近代ということをテーマにしながら言及してきました。「人間」「社会」「国家」「大衆」といった近代的な概念によって成り立ってきた世界を、イデオロギーではなくテクノロジーの側面から乗り越える可能性を考えようというのが、私が著書『デジタルネイチャー』で論じたことです。

モダンやポストモダンは微分不能な議論を繰り返した世界なので、自然を再発明することは難しい。結局、古い自然のままなのですが、冒頭で述べたようにオントロジー自体が微分可能になれば、新しい自然を定義できるようになるかもしれない。ベクトル化（ベクトライゼーション）できれば、ベクトルとベクトルの間の距離を測り、その類似度を測定したり、足したり引いたりして最適解を得ることができる。

そうやって生まれてくるものが、計数的な自然、デジタルネイチャーというわけです。デジタルネイチャーになれば自然は変わってしまうし、その観測結果から様々な事象が微分可能になり、物理的なシステムにも影響するので物理的にも変わってきてしまう。そうなると、もはや古い自然には戻れない。ポストモダンの先へ行かざるを得ない。

繰り返しますが、ポストモダンの先に何があるのかといえば、やはり微分可能オントロジーや計算機と融合した哲学的なもの、オブジェクト指向オントロジーを計算機で解釈したようなものに行き着くはずです。モダンやポストモダンについては、現代思想の分野で多くの哲学者たちが思考してきましたが、微分可能オントロジーに行き着けば、哲学者たちが言語モデルを用いた微分的思考を行うようになるでしょう。そうなると、恐らく中には、そうした数学的素養がなく脱落してしまう人も出てくるかもしれません。

けれどもこれは、そんなに変なことを言っているわけではないと思うのです。自分としては、定量的に示さない論文は書きたくない。微分可能になれば、この言語定義はどのようなベクトルで表現できるのか、より定量的に数式で定義できる。哲学者だって、自分よがりのロマンをやっているのではなく科学をやっていると考えているはずです。私も哲学は科学だと思っていますが、それが科学であり、しかも数式で定義することが可能ならば、やはり数式を学ばざるを得ないでしょう。

例えば、20世紀の知の巨人である文化人類学者クロード・レヴィ＝ストロースが、先住民社会の親族や婚姻、神話を調べながら、構造主義という考えを提唱したことはよく知られています。数式とまではいきませんが、レヴィ＝ストロースの構造分析自体、オントロジーの話をしていると思います。大著『神話論理』では、世界のさまざまな神話を比較し、神話というシステムを書くために記述するオントロジーがあることを、それ自体「構造」と呼んだわけですね。このオントロジーの発見が、レヴィ＝ストロースが『生のものと火を通したもの』や『蜜から灰へ』『食卓作法の起源』『裸の人』といった一連の『神話論理』を書く上での最初の喜びだったのだろうと思います。逆にレヴィ＝ストロースがやったような仕事を、数式で定義できる微分可能なオントロジーの時代に探究するならば、バナナ型神話（死や短命に関する起源神話）を微分して、国生み神話（日本神話におけるイザナギ・イザナミの二神による日本列島誕生神話）との距離はどれくらいか、ということを数式で示すことができるかもしれない。国生み神話が生まれたのが700年代、バナナ型神話が生まれたのが900年代だとすると、その200年の間の知的交流が何回あれば、あるいは何人の人間が議論すれば、国生み神話からバナナ型神話へと変換されていくのか、シミュレーションすることができる。そう思考するほうが、ずっと定量的ではないでしょうか。

今までは、言語学者や人類学者が人間の耳で聞いて「ある言葉と言葉はなんとなく似ているかもしれない」とか、人間の目で見て「葉っぱの形が似ているかもしれない」というような形で、言語の比較や文化の比較をしたりしていました。しかし、それでは結局、「そうかもしれないけれども、そうでないかもしれない」という一見すると感覚的な議論の域を出ませんでした。そうなると、重要なのは編年的な発想で、似たような神話や伝承がどれくらいあるか調べていき、年代ごとに並べてみるとどのような順序で伝わっていたのかがわかる、という形で初めて論文を書くことができたわけです。

テクノロジーが発展した現代においては、これをコンピュータシミュレーションの中で計算した後に、そのベクトルに近いものを探していけばいい。そうやって似たベクトルのものが一つ、二つと出てきた瞬間から調査が始まる。この行き来をすることが重要で、それは昔よりもはるかに楽しい作業になるのではないでしょうか。

つまり、微分可能オントロジーに基づくデジタルネイチャーな世界というのは、人文系の学問が今までやってきたものを否定しているわけではないのです。あらゆるものが微分可能で、ベクトル化して数式で表せるようになるならば、それを人文科学の分野でも活用すればいい。文系と理系を行き来しながら考えていく発想になります。

生成AIが暴く『百鬼夜行』進化のプロセス

より具体的な例を出しましょう。私は『百鬼夜行絵巻』が好きで、よく調べているのですが、室町時代に描かれた『百鬼夜行絵巻』と、明治時代に歌川芳幾が描いた『新案百鬼夜行』を比べてみます。室町時代の『百鬼夜行絵巻』では唐傘のおばけは、馬に乗っているおばけの後ろに従う形で描かれている。しかし、明治時代の歌川芳幾の作品になると、唐傘のおばけが馬に乗っていて、トランスフォームが起きている。唐傘のおばけがいたポジションには、代わりに別のシャモジみたいなおばけが描かれている。

これらの図像を、例えば近年のImageBindのようなAIにかけてやると、エンベディング[※1]が計算できベクトル化されるので、数量的にベクトル間距離を求めることができます。そう考えると、16世紀と19世紀の300年の間に、どのような需要があってこうした変化が起きたのか、計算上は予想することができるわけです。この場合の微分可能とは、図像の比較により、定量的な形で比較分析できるようになることなのです。

百鬼夜行の図像には長らく銅鑼のおばけはいなかったのですが、１６００年代になると銅鑼に変形可能な鳳凰のようなおばけが出てきて、これが19世紀の歌川芳幾の作品になると鳳凰と銅鑼がくっついて、銅鑼のおばけとなります。つまり銅鑼のおばけが出てくるまでの間に、16世紀から17世紀にかけての１００年と、17世紀から19世紀の２００年というジャンプが必要なわけです。百鬼夜行を描いた作品自体は60点ほど残っているので、これをすべて微分してみるときっと面白いと思います。比較図像学的にもさまざまなことが分かってくるでしょう。

こうした比較調査を、これまでは微分でやらずに「なんとなく形が似ている気がするな」というように調査者の主観や人文知的類似だとされる編年の解析によって判断していたのです。微分可能になると、これをより定量的に示すことができるようになるというわけです。

※1　エンベディング（Embedding）……自然言語処理を行う際に、その単語や文の情報をベクトル空間に埋め込むこと。

先ほどの銅鑼のない鳳凰と、銅鑼のおばけになった鳳凰の画像を、後述するマルチモーダルＡＩのImageBindに入れて、それぞれのベクトルの差分を求めれば、それが両者の画像の違いにおける、ある種の定量結果ということになります。これを計算することもできるし、このエンベディングの埋め込みがわかれば、例えば両者の画像の中間にあたる画像をＡＩで作ることもできます。今度は、この二つの鳳凰の画像を画像生成ＡＩ「Midjourney」に入れてみましょう。これも一度、ベクトルに直すことになるわけですが、こうすると両者のベクトルの中間生成物を自動で作ってくれます。あるいは、こうした生成ＡＩを用いれば、ベクトルに変換した百鬼夜行の鳳凰を取り込んで、そこから出てくる音を想像し、鳴き声を生成することだってできます。ベクトル化するとは、こういうことなのです。

これまで直感的に、雰囲気でなんとなく判断したりしていたものが、計算可能になったら非常に面白い。まさにデジタルネイチャー、まさに新たな自然社会です。この「新たな」というのは「自然」にもかかっており、「社会」にもかかっている。

ここに至っては、文系も理系も関係ないでしょう。新しく、ワクワクするような楽しいフロンティアが目の前に広がっているように思わないでしょうか。

ベストセラーになった『土偶を読む　130年間解かれなかった縄文神話の謎』(晶文社)という本がありますが、同書については、専門の考古学者たちから論文集『土偶を読むを読む』(文学通信)という本が刊行されて、批判検討がなされました。両方の著者たちと続けて対談したこともあって、どちらの本も面白かったのですが、考古学においても、土偶の形状について分析する際に、先ほどの百鬼夜行の図像のように、もっとベクトルやオントロジーの関係を計算機で計算できれば、より定量的な分析ができるようになるかもしれません。

実際に恐竜の骨などを調べる分野では、すでにそういった類似性を計算に入れて用いつつあるそうです。あるいはベクトライザーを用いない場合でも、形状については、コンピュータで分析しています。彼らは、恐竜と形態が似ている鳥類の骨を探してくるというアプローチを行っています。恐竜は爬虫類だけれども、鳥類は恐竜の正式な後継者ですから、現存する鳥の骨を探して、地面から発掘した恐竜の骨とマッチングする場所があるので、そうやって比較しながら研究しているのです。

これまでは直接比較が難しかったので、さまざまな資料を集めて迂回しながら、時に直感的に判断せざるを得なかったものが、微分することによってベクトル化し、定量的に比較できるようになった。もちろん、これまでの迂回が無意味だったわけではありません。そのおかげで、さまざまな資料が収集されてきたわけですから。その資料をもとに、これから一挙にさまざまなことが分かってくる可能性が高いでしょう。

現在はどうしても文系と理系に分かれてしまいますが、微分可能オントロジー以降は、文系かつ理系になっていく。足で調べて、計算機で計算し、また手で調べていく。分けて教育するよりも、文系と理系を行って来て、行って来てと、往還しながらやっていくほうがずっと面白いでしょう。

人間を戒名にまで圧縮する「ベクトル化」

微分可能オントロジー以降は、人類もまた微分可能なもの、ベクトル化可能なものになります。生身の人間の個性をAIのような計算機によって身体から切り離すことができるようになるのです。私自身、人類が微分可能になったほうが面白いなあと思います。例えば、人間を情報として圧縮して、何文字で表現できるか。日本では人が亡くなると、なんとか信士とか、なんとか信女とか、お寺で戒名を付けてもらったりしますね。だいたい7〜8文字くらいで、1文字2バイトだとすると、16バイトほどです。「16バイトで人間を表してください」と言われれば、できそうですよね。インターネットで位牌のサンプル画像を探したら、「誠実院優秀技術信士」とか出てきました。誠実で優秀なエンジニアの男性だったのでしょう（笑）。人間を表現するには、漢字で表せばこれくらいだということです。

昔、アキネイター（akinator）というのが一時期流行りましたが、これはその人が思い浮かべている人物やキャラクターを、質問をしながら絞り込み、推測して特定していくAIの一種です。アキネイターの質問数で、特定の人類の特徴もまた記号化できるのではと思いませんか。そういう意味では、潜在空間を探索する上で、そのベクトルでタグ付けされた人類もある程度微分可能になってくるだろうと思います。

唯一残される「人間の価値」は何か

このような状況になってきたのは、先述したようにGPT-4が登場した2023年になってからのことですが、ここまでテクノロジーの進歩が早いと、恐らく2023年後半あたりから、より直角的に時代が変わっていくかもしれません。思ったよりも、この変化は早い。来年には哲学者に対して「先生のおっしゃっている哲学は言語モデルで実装できますか」なんてコメントするようになっているかもしれません。その意味では、ついていくだけで、本当に大変な時代になっています。論文を書いているうちに、新しい論文が生まれているような状況です。研究者でもそうですから、一般の方がこうした最新の動向を自力で追っていくのはまず無理でしょう。その結果、どうしてもAIをうまく使いこなせる人と使いこなせない人が結構な割合で二極化する——99パーセントの人は何が起こっているかわからない状態になってしまうでしょう。これを昔の自著『魔法の世紀』（PLANETS）で〝世界の再魔術化〟となぞらえて「魔法の世紀」と呼びましたが、まさに今、そういう感じになってきています。

とはいえ、人類は本来、ずっと低速です。人類自体の変化はもっとゆっくりとしています。GPTにしても、一般のレベルで使っている会社や導入している組織はまだまだ少ないと思います。こうした言語モデルが登場する以前から、何か目的があってシステムを構築する人は少ないものです。システムを構築できる便利な道具があったところで、それを使って、実際にシステムを構築したりすることはほとんどありません。世界のことを大体計算できる非常に便利な道具が目の前にあるのに、それを使うこともほとんどありません。人間はなかなか檻《おり》から出ようとしないものなのです。その意味では、やはり、二極化は避けられないかもしれません。

よく言われるのは、AIにできないこと——例えば「クリエイティブ」なこと——をできるようにならなければ、AIに代替えされるというような危惧です。しかし、これだけAIが発達してくると、もはやAIにできないことをできる人間なんて、ほとんどいないのではないかと思います。「クリエイティブ」も、もはやない。低速で近いことと高速で困難なことがあるだけかもしれません。

そのとき、人間に残されるのは、人間として生まれたこと自体が資産であり、価値だということとしかない。人間は人間に対して愛着があります。「あなたの娘が今からGPTになりました」と言われて納得できる人は少ないでしょう。もし、それで納得できてしまうのであれば、人間として生まれることにすら価値を見いだせなくなってしまいます。

ChatGPTの登場とマルチモーダルモデルの発展

『デジタルネイチャー』では、AIの神経系を模した人工ニューラルネットワークにより、「解析的アプローチによって記述されていたコンピュータサイエンスが、統計的アプローチとして動的な時空間フィルタを形成するメタ手法を、深い階層性とデータ量によって獲得した」と述べました。ただ、同書では、このような世界を自動で記述するようなシステムの実装には、まだ時間がかかるだろうという見通しを立てていました。

しかし、GPT-4の登場により、実装に向けて道具が出揃ってきた。まさに『デジタルネイチャー』で書いたような、「モノの実在感すらもデジタルで再現される世界、つまり物質性・空間性のコンピューテーショナルな相転移」というのが、より理解可能になってきたというのが非常に大きい。

TransformerやGPTを使って「言語」を遊んでみようという取り組みは、私の研究所では数年前からやっていました。Transformerが最初に登場したのは今から6年前の2017年のことでしたから、その頃からいろいろと試してきたわけです。またGPTに関してはGPT-2が出た頃から使っていて、登場したのが2019年ですから、かれこれ4年くらいアプリケーションの研究をしています。

とはいえ最初の頃は、企画の粗筋を作ったり、小説を書いたりするようなことしかできませんでした。私のラボの大曽根くんが開発した日本語版LLMは、2021年までは日本で一番大きなLLMだったと思いますが、それを使って小説を書くアプリケーションの研究などをしていたのです。

その後、GPT-3が出てきて、英語でならブログも書けるようになり、さまざまな人が使うようになってきました。GPT-3・5やGPT-4などは、よりさまざまな用途で使うことができます。言語モデルが成熟してきたことで、数値や画像、テキスト、音声といった複数のモダリティを組み合わせて処理できる、マルチモーダルモデルが盛んになってきたことは、非常に重要でしょう。

また、エンベディングができるようになったことも重要です。要素同士の関係性を数値で扱えるようになったことで、他のモーダル、例えば画像ではどうか、音とではどうか、ベクトル計算をして表現できるようになりました。

Metaが、マルチモーダルAIの「ImageBind」をオープンソース化したのが2023年5月のことですが、これはテキストや画像、動画、音声、深度（3D）、熱（赤外線）、慣性測定装置（ＩＭＵ）といったモダリティの情報を、単一の表現空間で学習することができます。鳥の画像からその鳴き声や動きなどの情報を生成したり、逆に鳴き声から鳥の画像を生成したりすることもできるわけです。

画像生成や動画生成などのＡＩはChatGPT以前から登場し、話題になっていましたが、現在は言語も画像も動画も音も、すべて絡み合ってきています。研究論文でも、こうしたマルチモーダルモデルに関するものが非常に増えてきました。

ChatGPT、特にGPT－３・５からは自然言語処理が進みましたから、特にプログラミングに詳しくない人でも扱いやすいでしょう。しかし、だからといって、プログラマーにとって有用でないかというと、そうではありません。

ことプログラムのエラーメッセージを解読するのには非常に有効で、実際にプログラムを書く上でよく使われています。また、簡単なモジュールを作成するのにも使えます。２０２３年7月に一般開放されたChatGPTの「Code Interpreter」なら大体のことはできますから、多くの人が使っていると思いますし、今後、基本的なプログラム作成に使用するようになっていくでしょう。

一般のレベルで導入している企業や組織はまだまだ少ないと思いますが、さまざまな商品やサービスで実装されていくと思います。

「生成AI時代のアート」とは?

マルチモーダルモデルのように、さまざまな生成ＡＩの開発が進んできたところで、例えば芸術（アート）のような人類の表現活動には、果たしてどのような影響があるのか。結論を言えば、シニカルな言い方かもしれませんが、「箱書きにしか本質的な価値がないのだとすれば、これまでずっと箱に書いてきたのだから、中に何が入っているかどうかは関係ない」ということではないでしょうか。

芸術作品において、最初から箱書きにしか興味がなかったならば、中身をＡＩが作ろうが作るまいが、本質的には変わりません。中に何が入っているかどうかに関係していると思うから問題視するだけで、それはアンディー・ウォーホルが出てきた頃からずっとそうでしょう。

これは、作品制作のためのツールが、絵筆からＡＩに変わったというようなことではありません。ツールが変わるというのは、人類がずっとやってきたことですから、あまり本質的なことではない。アートにとって、箱書きに意味がないということは、本来、誰が絵を描いても一緒だったということなのです。箱書きだけが、作品に価値を持たせるものであったというだけです。にもかかわらず、人々は内容に意味や価値があると思い込んでいた。そこを理解していない点が、むしろ問題かもしれません。ファクトリーで作品がつくられるようになって以後は、我々が題材にしているのはむしろフレームの定義や問題の面白がり方の思考でしょう。これを『魔法の世紀』では文脈のゲームと名付けました。

つまり、アンディー・ウォーホルの作品ならウォーホルの署名が、マルセル・デュシャンの作品ならデュシャンの署名が、それぞれ意味を持ち、むしろ署名とその文脈的構造以外に意味がないということになります。それならＡＩで作ろうが作るまいが、関係ないでしょう。結局、ＮＦＴにおいても、理解されているのはコンテンツではなくて、署名でしかありません。そうなると、アーティストはほとんど存在しなくても大丈夫なようになってしまう。とはいえ、これまでのアーティストがいなくなったとしても、もっと違うアーティストが出てきますから、ＡＩの登場はあまり関係ない。『魔法の世紀』では「原理のゲーム」という言葉でメディアアートを拡張しましたが、作品をつくる行為そのもの、例えばＡＩづくりそのものが作品づくりと同化するような考え方です。ただそれを作品と呼ぶのであれば、作品と呼べるものの数は少なくなっていくはずです。

一方で、エンターテインメントの分野は産業ですから、産業として保護しなければならないということは、また別の問題です。エンターテインメントに従事している人たちの生活の保護や保障をするというのは、産業を保護するという意味で、国の制度として考えなくてはならないと思います。

生成ＡＩによって進化するエンタメ産業

私自身は、ＡＩをもっと使ったほうが面白い産業が生まれるだろうと考えているほうです。よくする例え話ですが、宮崎駿氏の『風立ちぬ』を思い出してください。

同作では主人公の堀越二郎役に、『エヴァンゲリオン』シリーズで有名な庵野秀明氏が抜擢されたことで話題になりました。庵野秀明氏は監督であって、声優でも俳優でもないわけですから、演技はあまり得意ではないかもしれない。庵野氏の声に惚れた宮崎氏は、その演技には目をつぶって、庵野氏を抜擢したわけです。あの映画はその素人っぽさがよかったとされているわけですが、一方でそれに対する批判ももちろんありました。

例えば庵野氏の声はいいが演技はダメだというならば、そこをテクノロジーで補えばいいのではないでしょうか。例えば生成AIを用いた高機能のボイスチェンジャーがあれば、庵野氏の声を別の人間が出すことだってできる。他の演技ができる声優なり、俳優なりに頼んで、庵野氏の声でうまく演じてくれればいい。時折、庵野氏本人の声を交ぜたりすれば、観客はそれで満足するのではないでしょうか。

庵野氏の声と肉体は切り離すことができないから、宮崎氏はその演技には目をつぶったわけですが、AIを有効に使えば、それを切り離すことができます。それなら、みんなが思っていた違和感も解消されて、もっと面白いものがつくれるでしょう。ＡＩでよりよいジブリ作品がつくれるのだから、それはいいなあと思います。

あるいは、ジェームズ・キャメロンの『アバター　ウェイ・オブ・ウォーター』という映画があります。ＣＧで描かれた同作品に登場する少女キリは妙に艶っぽいですが、実際の動作は、モーションキャプチャーをつけたシガニー・ウィーバーが演技をしている。ですから、少女のキリの、実際の肉体年齢は70代ということになります。往年の名女優が演じているから、妙な色っぽさ、艶っぽさが出ている。それは作品のクオリティ、コンテンツにとっていいことだと思います。

「民藝」と「ＡＩ」の意外な共通点

アートとの関連で言えば、私はここ5年くらい、ずっと民藝に凝ってきました。民藝それ自体は、人間の身体性と絡みついた、いわゆる「手仕事」に特徴があるとされますが、私が関心を持つ民藝は、手仕事とは関係ありません。ですから、最初は民藝館の人たちからは、「邪道だ」とはっきり批判されていたのですが、最近はだんだんと和解してきまして、認められるようになってきました。

テクノ民藝とは、2019年に刊行した『2030年の世界地図帳 あたらしい経済とSDGs、未来への展望』(SBクリエイティブ)でテクノ地政学とデジタル発酵について書いたときに、出てきた造語・考え方です。デジタルネイチャーは、人間と機械、物質と仮想物体の区別が曖昧となり、人々にとって計算機自然とも呼べる新たな自然が世界を覆い尽くすようになることです。デジタルネイチャーの世界では、料理や粘土遊びをするかのごとく、誰もが手軽に計算機を作り、改変することができるようになるわけです。そうなると、それぞれがテクノロジーを用いた課題解決を行えるようになり、もっとそれぞれの場所で創意工夫して進められるようになるはずです。そのようなローカル性を、私はテクノ民藝と呼びました。

20世紀初頭に柳宗悦らが提唱した民藝、あるいは民藝運動とは、近代化・工業化によって大量生産の製品が浸透する一方で、日本各地の手仕事の文化が失われていくことに警鐘を鳴らす形で始まったものです。特定の作家ではなく、無名の職人たちが各地域・地方の風土に根ざした暮らしの中で生み出した民衆的工芸を、柳たちは再評価し、これをつづめて民藝と呼んだのです。とりわけ、柳宗悦は、民藝に宿る美について「無心の美」、「自然の美」、「健康の美」を重視しました。民藝というコンセプト自体、20世紀において非常にアヴァンギャルドな形で出てきたものだったと思います。

デジタルネイチャー時代には、自然そのものがデジタルネイチャーという新しい自然になっているわけですから、3Dプリンターで作った物品だって、民藝と呼び得るはずです。つまり、テクノ民藝なのですが、先ほども述べたように最初は、民藝の人たちから「手仕事の愛情がないから民藝ではない」と批判されました。歴史に「もし」があればですが、柳宗悦が見たら民藝だと定義したはずです。「民藝ではない」と断じることは、アヴァンギャルドな民藝運動に対する冒涜《ぼうとく》じゃないかとすら思ったのですが、直感的に自分は正しいと考えていました。しかし、それでも民藝の原理主義者たちは「AIでピコピコやったものは民藝ではない」と言っていたのです。

デジタルネイチャーという新しい自然においては、まさにネイチャーがデジタルなのだから、テクノ民藝には柳の言う「自然の美」がある。また特定のイデオロギーに左右されるわけでもないから、健康的であり、まさに「健康の美」ともいえる。また、AIがつくっているのだから、特定の人間のロマンは入り込まないゆえに「無心の美」でもある、というわけです。だから、柳が言っていたことに非常に適っている。そんなことを説明しながら、対話を続けているうちに、「落合さんは柳宗悦のことが好きなんですね」「素敵な青年かもしれない」というようになって、理解されるようになっていきました。

ですから、私は手仕事自体への興味・関心があるわけではない。それは機械に任せてしまっていいと思っています。よく円空仏を削ったり、大きな彫刻を作ったりしていますが、それらはすべてCNC（コンピュータ数値制御）で作っています。けれども、これは民藝です。それがテクノ民藝です。

柳宗悦とテクノ民藝

柳宗悦は1932年に創刊された『光画』という写真雑誌に、「美しい写真とは何か」という文章を寄せています。その中で次のように述べています。

「ここに美しい自然があるとしよう。諸君よ、諸君はその写真以上に美しく自然を見る事は殆ど不可能なのである。美しい写真は、与えられた自然よりずっと美しい。そこ迄達しない写真はまだ充分に美しくはない。私達は美しい写真を通して自然を美しく見る事を教わるのである。いい写真は自然の自然である。そこに於て程自然の驚異が躍如として現出される場合はない。私は再び云おう。美しい写真程に美しい自然はあり得ないのだと。私達はそれを通して始めて自然を美しく見る事が出来るのである」

あるいは柳は「美しい写真は、自然を創造する」、「それは新しい自然なのである」とも述べています。「よき写真師は造り主の一人である。それ等の驚異を行う力は何か。それは単に物があるからではない、器械があるからではない・見方が造る不思議なのである。美への直感が産む驚異なのである。直感に包まれない自然は死物に過ぎない。写真は近代に於て吾々の直感を活かす重要な仲立ちである」と。

そう書いている柳は、まさに「新しい自然」すなわちデジタルネイチャーについて、非常に理解があっただろうと思います。

柳の言う「重要な仲立ち」とは、現代であればＡＩです。柳が現代に生きていたら、間違いなくこれをＡＩと言っていたはずです。ですから、デジタルネイチャーと柳宗悦は相反しないし、民藝とテクノ民藝も相反しないはずなのです。

テクノ民藝的に見れば、例えば「ＴＰ－７」（teenage engineeringからリリースされたポータブルオーディオレコーダー）だって、テクノ民藝です。ＴＰ－７には中心にテープリールが付けられて再生すると回転しますが、実際、わざわざ回る必要なんてないわけです。これで録音していると、録音したくないところで止めれば、一時停止されるわけですが、それだけのためだったらわざわざ回る必要なんてありません。あえて実装している。それがテクノ民藝的なところです。あるいは、teenage engineeringのＴＸ－６のような小さなミキサーだってテクノ民藝の極みではないでしょうか。カメラだって十分、テクノ民藝です。工業製品という形を借りて量産されただけと考えると、仕上げは結局手仕事だったりもする。

テクノ民藝として定義できるものは、すでにたくさん存在しているけれども、民藝の原理主義者たちはそのようには考えません。そもそも、アートについて述べたように、民藝には署名性がもともと存在しないような世界のはずです。しかし、民藝館のようなところは、署名性がある人たちとない人たちを分類したり、定義したりするようなことをやっている。つまり、何が民藝であるかを定義しているわけですが、そのようなある種の宗教的な理念を変えていくことはなかなか難しい。

ただ、デジタルネイチャーを自然と捉えれば、柳が言う民藝の教義には反しないということです。工業製品は手仕事ではありませんが、署名性もありません。

署名性のあるアートは民藝ではない。けれども、署名性を消してしまえば、民藝です。無心の美を、どのように無名の美にしていくかは、重要な問題だろうと思います。

AI時代に残された秘境への「マタギドライヴ」

高度に進化した社会では、中央部が平均化されたデータの集積ばかりになるでしょう。それはよくできたバラエティ番組のようなものです。だからこそ、今後はむしろ〝辺縁部〟にこそ面白いものが転がっているような時代が来ると思います。この辺縁部の特性を私は「マタギ性」であると表現し、新著『マタギドライヴ』の執筆を進めています。

『デジタルネイチャー』では、AIを含むデジタルネイチャー自体をどう捉えるかという観点から執筆しましたが、実際にデジタルネイチャーが到来した段階で、それではデジタルネイチャーにおける人間とは何か、もう一度、捉え直してみようというのが『マタギドライヴ』のテーマです。そのように考えると、本章で述べてきたように、デジタルネイチャーにおける人間というのは微分可能な存在になってしまったということ、そして、そうした人間を探究する学問は微分可能な特徴を持ち、オントロジーの探究すら数学的に行われるようになりつつあるということは非常に大きな契機となっています。そのような世界で、オントロジカルに記述できない未知なる構造のようなものをどこから探してくるのかというと、社会の辺縁部からしか出てこないだろうというのが、『マギドライヴ』の本質的なところであり、その辺縁部こそが、極めてマタギ的なのです。

農村を工業化した社会を一般化した例として考えると、その周囲で活動しているマタギ的性質を持っているところにこそ、より新しくより面白いものが転がっている。しかし、デジタルネイチャーという自然に変わった際、インフラが圧倒的に整っているわけですから、辺縁部に生きる人類もまた大きな影響を受けている。例えるならば、南米アマゾンの奥地に住む先住民ピダハンが、ポケモンGOをやっていてもなんらおかしくない世界です。そういう世界において、未知なるものを生み出す辺縁部とはいったい、何なのかを今は考えて時代の濁流の中を共に転がりながら探しています。

第二章

AI時代には「中央値」から外れる勇気にこそ人間本来の知性が求められる

山口 周（独立研究者、著作家、パブリックスピーカー）

「職業」は簡単にはなくならない

ＡＩの影響に関して、私はいろいろな場で「たいしたことはない」と意見しているのですが、これはある種のポジショントークのようなところもあって、今後ＡＩが社会に大変なインパクトをもたらすことは間違いないと考えています。じゃあ何が変わるかというと、ＡＩによって多くの人が信じて疑うことのなかった「従来の優秀さ」が大きく価値を失っていくことになると思っています。

たとえば、１９６０年代に電卓が登場した時、それまでは労働市場において高く評価されてきた暗算や算盤を巧みに扱う能力の価値はなくなりました。物は言いようで、「シンギュラリティ（技術的特異点＝人工知能が人間の能力を超える臨界点）は、すでに１９６０年代に生じていた」という言い方もできるわけです。一方で、誰もこの時に「人間の敗北」とは思わなかった。それと同様のことが今後、さらに大規模に起こるでしょう。

じゃあ、巷間言われるように「生成ＡＩが人間に取って代わることによってさまざまな職業がなくなる」のかというと、私はそうは思いません。「職業」というのはそう簡単になくなるものではないからです。

１９５０年代にアメリカの国税局がつくったＩＲＳ（内国歳入庁）の職業リストには２７１の職種がありましたが、現在のリストから抹消されたのは「エレベーターガール」の一職種だけです。20世紀後半というのは、過去のどんな時代よりもテクノロジーによる社会変化が大きなレベルで起きた時代ですが、そのような大変革が起きても、ほとんどの職業は残ったのです。

現在、「ＡＩの影響で職業がなくなる」と大騒ぎしている人たちは、どうも過去の歴史においてテクノロジーの登場が職業にどのような影響を与えたのかということをあまり考えていないように思いますね。

ただ、職業はなくならないとは言っても、仕事の中身や価値は変わる。逆に言えば仕事の中身や価値が変わるから「職種」という入れ物が存続したわけですね。

たとえば広告代理店というのは、かつては媒体社の代理人として広告主にメディアの枠を売って手数料をもらうというビジネスだったわけですが、現在ではむしろ広告主の代理人としてマーケティング戦略やコミュニケーション戦略についてアドバイスし、その実行を支援する業態になりました。職業そのものとしてはなくなっていませんが、仕事の中身はすっかり変わっているわけです。

AIにまつわる議論は破綻している

生成AIに関する議論では、「人間の知能をAIが超える」とか「AIに仕事を奪われる」といったことが言われていますが、議論としては破綻していると思います。

こういった議論をやっている人に対して「では『知能』とは何か?」「どのようにして『超えた』と判定できるのか?」と聞けば、答えは人それぞれで発散して収斂《しゅうれん》することはありません。命題の論理を構成している基本要素の定義すら確定していないのですから、この命題はそもそも無意味なのです。

無意味な命題について「正しいか、正しくないか」という議論をするのは時間の無駄ですから、どうせやるならもっと生産的な議論に時間をかけたほうがいい。それは「労働市場に対するAIのもたらす影響」です。これならちゃんと議論が成立します。

ある職種が労働市場において存続できるかどうか？　これは経済学における需要と供給の関係に関する問題です。もし「仕事がなくなる」のであれば、それは「需要がなくなる」ということなのか？、あるいは「需要は存続するけど、何か別のものによって供給が代替される」のか？ということが論点になる。

「ＡＩによって仕事がなくなる」と騒いでいる人は後者のことを言っているのだと思いますが、通常は「供給の代替」は一気に起きるものではなく、需給バランスの変化として、まずは労働対価の変化という形で現れます。わかりやすくいうと供給量が過剰になると価格がどんどん安くなる、ということが起きるわけです。

では、ChatGPTは市場において何を提供するのか。一言で言えば「情報」ですね。だから、ChatGPTの登場によって大きく影響を受けるのは、これまで「情報」に関わる仕事をしていた人たちだ、ということになります。

「情報の市場マップ」を考えたとき、生成ＡＩがどのような類の情報を大量に供給することになるのか？　それによって情報の市場にどのような変化が起きるのか？

を考えることが重要だと思います。

AIの価格破壊で「優秀さ」の定義は変わる

ＩＢＭ社が開発したＡＩ「ワトソン」が、２０１１年にアメリカの人気クイズ番組『ジョパディ！』に出場し、米国のクイズ王２人と戦ってこれを破ったことが話題になりました。クイズで勝つためには「正解を出す力」が求められます。クイズ番組で、人間のクイズ王がなす術もなくＡＩに敗れたということは、すでに「正解を出す」能力について、人間はＡＩに敵わない時代がやってきている、ということを意味します。ChatGPTなどの生成ＡＩによってこの動きはさらに加速することになるでしょう。

このトレンドにおいて忘れられがちだけれども非常に重要なのは、それらＡＩのコストが非常に安くなってきている、ということです。

１９６０年代にＮＡＳＡがアポロ計画を推進した際、人間を宇宙船に搭乗させることに世論から大きな反発がありました。端的に言うと「危ない」という話で、「人間を乗せるべきではない」「探査をするだけならロボットとコンピュータだけでいいではないか」と批判をされたのです。

これに対するNASAの回答がなかなか面白くて、それは「人間は非線形処理のできる最も安価なジェネラティブ・コンピュータシステムであり、その重量は70キロ程度と非常に軽い」というものでした。この時、すでに「ジェネラティブ＝生成力のある」という言葉は使われていたのですね。

つまり人間を宇宙船に乗せる理由は、端的に「情報処理システムとして非常に軽く、しかも安い」ということだったわけです。人間が作業をするほうが探査活動においての精度が上がるなどの理由もありましたが、それと同時にNASAが重視したのが人間とコンピュータの「価格性能比」だったのです。そして、当時は圧倒的に人間のほうが優位だったこの「価格性能比」が、一部領域の情報処理については人工知能が上回るようになり、さらにそのコストが大幅に低下しつつある、というのが現在の状況なのです。では、それはどれくらいの勢いで進んでいるのか？

1997年、ディープ・ブルーと名付けられたIBM社のスーパーコンピュータがアゼルバイジャン出身のガルリ・カスパロフという当時のチェス世界王者に勝利しました。その直後にＩＢＭ社はディープ・ブルーを販売したのですが、その価格が１００万ドル、現在の価格でおよそ１億４０００万円でした。しかし今では、その時のディープ・ブルーと同程度の性能を持つパソコンを家電量販店で買うことができます。つまり、ある領域に特化したスーパーコンピュータも、20〜30年経てば量販店で売られる程度の価格になる、ということです。

前述のワトソンという名のＡＩが『ジョパディ！』でクイズ王を破ったのは２０１１年ですから、その20年後、つまり２０３０年前後にはワトソンと同程度の性能のパソコンが量販店の店頭に並ぶことになると考えられます。

そうなると「正解を出す」ということについては、量販店で買えるコンピュータに、これまで人間のなかでも最優秀とされてきた人も敵わないという状況がやってくるわけです。私たちは「優秀さの定義」を書き換えなければならない時期に来ていると思います。

ＡＩの生産性は東大生の40倍!?

ＡＩが得意とするのはクイズやパズルのような「正解がある」問題ですが、これはまさに「受験問題」と同じなんですね。

日本では優秀な人の定義がものすごく偏っていて、開成や灘から東京大学や京都大学へ進学するような人が優秀とされているわけですが、それの何が優秀なのかと言えば、要するに「クイズやパズルについて速く正確な回答を出せる」ということです。そのような偏差値優等生的な優秀さが量販店で売られるコンピュータに凌駕されるようになると、「正解を出す」という能力が安価に過剰供給をされることになります。量販店で売られるとなれば高くてもせいぜい50万円程度でしょう。

一方で、偏差値の高い大学を卒業した人を新しく雇おうとすると、年間で５００万円程度のコストがかかります。では、そのコストで彼ら、彼女らがどれくらい働くのかというと、法定を踏まえれば一日8時間程度が限界だということになる。一方、ＡＩであればコンセントを入れるだけで一日24時間、一年３６５日、無休で働かせることができます。

人間が一日8時間、週5日で週間労働時間のトータルが40時間であるのに対して、一方のＡＩは一日24時間、週7日でトータル168時間。つまり稼働時間はＡＩが4倍、それでコストは10分の1ですから、単純計算すると生産性に40倍もの差が出ることになります。しかも、人間のコストは基本的に毎年上がり続け、機能不全を起こすことも少なくなく、ケアを怠るとすぐに拗《す》ねて「転職したい」などと言い出します。

近い将来、株主総会で「40倍の生産性で機械にやらせられる仕事を、なぜポンコツな人間にやらせ続けているのか?」という質問が頻発することになると思います。そうなると「標準的な正解を出す」という類の仕事に関しては、ＡＩの価格が従来通り10年で１００分の1という驚異的なペースで低下し続けることに伴って、労働市場における報酬水準もまた劇的に低下していくことになる可能性が高い。

一方で、日本の企業には報酬水準の切り下げに対して非常に厳しい制約がある……端的に言えば給料は下げられないわけです。このような制約を抱えた日本企業が、いまだに大量の「優秀な新卒学生」を求めて採用活動を行っているのを見ると、他人事ながら「この先、40年も固定費として給与を支払いながら〝正解を出すのが得意〟な人を雇って大丈夫なのかなあ」と不安になります。

大手弁護士事務所のAIビジネス

「正解を出す仕事」で言えば、弁護士もＡＩの影響を避けられないでしょう。「ある案件について類似した過去50年分の判例を探す」「膨大な判例のなかから裁判上の争点になりそうな部分を抽出する」というようなパラリーガル（弁護士のアシスタント的な業務）の仕事は、ほぼすべてＡＩに代行されるのではないでしょうか。

また、ある経営上のアクションについて、法律的に適法か違法なのかを判断することは、これまで弁護士が担うメインストリームの業務の一つであったわけですが、これはまさに二択クイズであって、ＡＩが最も得意とするところですから、ここから先は大きな変動が起きることになると思います。

２０１９年の日本経済新聞において、大手弁護士事務所の「長島・大野・常松法律事務所」（以下、長島・大野・常松）が「人工知能（ＡＩ）によって法務を効率化するリーガルテックを提供するベンチャー企業に出資して、2020年1月を目途に、その技術を企業や他の法律事務所に販売する方針である」と報じられました。

このリーガルテックを用いると、従来は弁護士が2週間かけてチェックしていたM&Aの契約書類のチェックを1時間以内で処理できるというのですね。

「長島・大野・常松」といえば、日本でも最も入所の難しい最難関の弁護士事務所の一つです。つまり「日本で最も優秀な弁護士」が集まっている事務所だということですが、その優秀な弁護士が2週間かけてやっていた仕事を1時間でやってくれるAIが登場しているのです。

おそらく、このAIはやがて多くの弁護士事務所に、そして最終的には顧客である企業の法務部門にも配備されることになるでしょう。

AIができない弁護士の仕事とは?

こういう話をすると、すぐに「弁護士の仕事がAIに奪われる」といった単純な結論に飛びつけようとする人が多いわけですが、実際にはそうなっていないのが面白いところです。

弁護士というのは「情報労働」の典型みたいなところがありますから、弁護士の世界で起きていることは、これから先、すべてのホワイトカラー（＝情報労働者）の労働市場で起きることの一種の先行実験であると考えることができます。

何が起きるか？　一言で言えば「優秀な弁護士の定義が変わる」ということです。「どれだけ手堅く法律上のエラーがない契約書のチェックができるか」というのはこれまで間違いなく弁護士の「優秀さ」を計る一つの指標だったわけですが、すべての弁護士がＡＩを使うようになれば、この物差しは無効化します。

ＡＩによって最優秀の弁護士以上の精度で契約書の瑕疵をチェックしてくれる、しかも価格は弁護士を雇うよりはるかに安い、ということになれば、企業の法務部はいちいち弁護士に相談をしなくてもいい。

ではそうなったときに弁護士がまったく不要になるのかというとそうではなく、弁護士の仕事は、ＡＩの導入によって発生する法律関係の業務の新しいボトルネック、たとえばＡＩでの処理が困難な工程に対するカウンセリングのようなものになるだろうと私は考えています。

何かしらの事業を「やるかやらないか」についての適法性、違法性はＡＩで判断できるようになりますが、それを実際にやるべきか、やらないほうがいいのかという意思決定のプロセスに伴走して、適切かつ臨機応変なアドバイスをクライアントに行うことはＡＩには現在のところできません。

経営における意思決定においては、多くのステークホルダーからの共感が得られるものであるかどうかが重要な判断のポイントになりますが、ここで重要なのは「共感には正解はない」ということです。「正解がない」ということはＡＩが必ずしも得意ではない、ということです。

とくに個別企業における最適解は常に文脈依存的な一回性、つまり「いま、この状況で、この企業にしか通用しない」という側面を持ちますから、統計を武器にするＡＩとはとてもソリが悪い。ＡＩは判断を下すのに必要な要素が不明確な問題が非常に苦手です。専門的には「フレーム問題」と言いますが、一方で「人間」にはこれが非常に得意だということがある。

結論から言えば、ＡＩが得意な仕事はＡＩに任せて、人間は人間にしかできない仕事に労働市場でのポジショニングを移していくことが求められるでしょうし、現在の弁護士の世界で起きているのもこれです。

競争のルールが変わる

これはつまり、「従来とは競争のルールが変わる」ということですから、一部の人にとっては非常に大きなチャンスになると思います。

これは第一次産業革命でも起きたことですが、蒸気機関の導入よって織り機の生産性が劇的に上昇した結果、その前工程である「撚糸の工程」がボトルネックになり、この領域でイノベーションを起こした人が大成功をした一方で、それまで業界を牛耳っていた人はこのイノベーションによって没落している。下克上ですね。

一部の領域で劇的な生産性の改善が起きると周辺の領域にボトルネックが発生します。ＡＩは「情報の製造業」において劇的な生産性の改善をもたらすと思いますが、そうなると必ず周辺領域にボトルネックが発生し、新たなビジネスチャンスが生まれることになるでしょう。

その証拠、というわけではありませんが、2023年現在、ウォール街では弁護士の収入がここ10年で大きく上昇しています。AIの利用が浸透するにつれて、弁護士の仕事はAIに代替されるのではなく、むしろ「人の弁護士にしかできない付加価値」に対する新しい要請が強まっているということを示しています。

こうしたことは弁護士に限った話ではなくて、ChatGPTをはじめとした言語生成AIがライバルとなる情報労働の市場でも同様に起きるでしょう。生成AIが本格的に情報労働の市場に参入してきたときに、受けて立つ側はどう戦うか？

かつての産業革命の時、ひたすらに機械の導入に反対してこれを打ちこわして回ったラッダイトのようなことをやっても流れは押し留められません。重要なのは、AIが情報労働の市場に参入することで新たに発生するボトルネックはどこか、そこでビジネスをするためには何が必要なのかをしたたかに見通し、自分のポジショニングを変えていくことが求められます。

高収入の職業からＡＩに代替される

情報労働の市場を経済学的な視点から考えたとき、とてもパラドキシカルな未来予想図も見えてきます。

ＡＩはクイズのような正解があるミッションが得意ですが、先述した通り、人間で正解を出すのが得意な人というと、東大や京大を典型とした偏差値の高い大学を出た人、ということになります。そして、そのような人が希望するのは基本的に給料の高い職業なんですね。典型的には医師や弁護士やコンサルタントといった職業です。こういった職業の共通項が何かというと「お客様が問題をくれる」ということです。これはまさに学校の試験と同じで、偏差値の高い人たちには非常にフィットがよいわけです。

さて、ここに面白いパラドックスがある。何かというと「正解を出すのが得意な人たちの給料は高い」ということは、株主や経営者からすると、こういう人たちこそ最も機械で代替させたい、ということです。

末端の労働者、労働市場で安い値段しかつかない人を代替させるのではなく、労働市場で最も高い値段のついている人こそ、ＡＩによる代替のターゲットになる。この点こそが、これまでの産業革命と今回のＡＩ革命の大きな違いです。

これまでの産業革命では、常に機械に代替されるのは労働市場の末端に位置する人たち、報酬水準の低い人たちでした。しかし、今回のＡＩ革命によって代替されるのは、労働市場の頂上に位置する人たち、つまりエリートなのです。

１９６０年代のＮＡＳＡのアポロ計画では、当時において最も安価な汎用コンピュータが人間だったから人間を宇宙船に乗せたわけですが、ＡＩのほうが安いのであればそちらを使いたい。これはあらゆる産業において言えることです。なぜこれまで情報処理を人間にやらせていたのかといえば、それはコストが一番安かったからです。

これは見過ごされがちなポイントですが、非常に重要なポイントです。コンサルタントや弁護士や投資銀行のトレーダーなどに億単位の高額な年俸を払っているケースであっても、費用対効果で考えればそれが一番安かったのです。しかし、コンピュータの能力が向上して供給量が増えて、価格がどんどん下がっていけば、給料の高い人から順にＡＩに食われていくことになります。

これはなかなかに面白い状況で、職業がなくなるという議論においてはそういう観点が抜けているように思います。「将来なくなる職業」として、よく警備員や運転手が挙げられたりもしますが、年収２００万円、３００万円の人をＡＩに切り替えて人件費を削ったところで、経営者からすると大したインパクトは得られません。それよりも切り替えたいのは高い給料の人材なのです。

すでに、こうしたことが進行しているのが投資銀行のトレーダーです。２０００年代の前半、東京の外資系投資銀行のトレーディングルームでは数百人単位のトレーダーが働いていて、その平均年収は1億円を超えるような状況でした。ところが今ではトレーダーが数人ほどしかいない。ほかはすべて自動的に売り買いをするアルゴリズムに置き換えられてしまったわけです。

金融取引を効率的に行うことのできるＡＩを開発するためにはものすごくお金がかかるわけですが、トレーダーを１００人雇ってそれぞれに年間1億円の給料を払えば、10年間で１０００億円のコストがかかります。人間にそれだけの給料を払い続けることを思えば、その金額をＡＩの開発に回したほうがいい――。株式トレーディングの業界ではそのようなブレークイーブン（損益分岐）が起きているのです。

弁護士の世界でも同じことが起きていますし、医師の世界でもレントゲン写真の画像解析などはすでにＡＩのほうが優れている状況で、Googleも医療用画像認識ＡＩの開発に参入してきました。

トレーダーも弁護士も医師も、これまで高収入だった職業で、そのような最も労働費用の高い人たちからＡＩへの差し替えが進んでいるのです。

中央値ではなく「外れ値」で戦う

生成ＡＩのテクノロジーのベースにあるのは統計です。ある質問を受けたときに言語生成ＡＩであるChatGPTは、仮想空間にある情報を探索して、最も出現率の高い回答から順に答えていくことをやっているわけです。

質問する側が意図的に探索空間を限定しない限り、ChatGPTはネットの仮想空間において「統計的に最も頻繁に出てくる答え」を回答として出してくる。だから最も標準的な回答を知りたいときは、ChatGPTに聞けばいいのです。

言い換えると、ChatGPTは統計でいう正規分布グラフの山の一番高い部分、つまり両端から数えてちょうど真ん中のところ、「中央値」を答えとして出すということです。統計の中央値ですから、往々にして「それはわかるけど、まあ当たり前だよね」といった内容になりがちです。

これに対して統計的に出現率の低い、正規分布グラフの山から大きく離れた値を「外れ値」と言います。人間は「中央値」での勝負ではChatGPTに勝てるわけがありませんから、必然的に「外れ値」で勝負したほうがいいということになるわけです。

しかし、外れ値で戦うと言っても、単に奇抜なだけ、トリッキーなだけでは意味がありません。「意外だけど納得感がある」「思いもよらない答えだけど、その手があったか！　と思える」、そのような「外れ値」が求められるのです。

これは私が聞いた医療に関する話です。生体肺移植において、たとえばお母さんの肺を子どもに移す際には、まず子どもの肋骨を切り開いてからお母さんの肺を移植することになります。移植後には切り開いた子どもの肋骨を再度つなぎ直して、最後に皮膚を縫合して手術を終えるというのが標準的な進め方になる。生体肺移植において世界中で行われているオペレーションで、まさに中央値です。

しかしある時、小学校1年生くらいのとても小さな子どもにお母さんの肺を移植し肋骨をつなごうとしたら、移植した肺で心臓が圧迫されてしまい、うまく心肺が機能しないことが手術の最中に判明した。体が小さかったのでお母さんの大きな肺がうまく収まらなかったのです。

現場は「困った」となったのですが、この時に手術を担当していた医師がどうしたかというと、肋骨はつなげずに皮膚だけを縫合したのですね。肋骨をつながないというのは危険な状態ですが、肺は肋骨による圧迫がないから自由に伸び縮みができ、心臓も圧迫を受けずに脈動できる。人間の適応力というのは素晴らしくて、しばらくたつと身体の大きさに合わせて肺も小さくなり、そこでようやく肋骨をつないで無事に手術を終えたそうです。

これは標準的な手術のやり方からすると非常にイレギュラーなやり方で、もちろん臨床例もなかったわけです。それでもこの医師が「おそらく人間の適応力からすれば、時間の経過とともに肺が小さくなるはずだ」と総合的かつ直観的に判断したわけです。それまでに得ていたものすごい量の人間の身体に関する知識を総動員した結果でしょう。

このように人間の知性というものは、標準的な正解が通用しない特殊な状況において、きわめて独創的な「外れ値」の回答を導き出し、それを実現するクリエイティビティや洞察力、閃きのようなものを持っている。これが「外れ値で戦う」ということです。

「中央値」が好きな日本人

同様のことは経営戦略についても言えます。戦略論の教科書を読めば、そこに「中央値の戦略」は書かれています。しかし、この戦略には大きな問題が二つあります。

一つは「差別化が難しくなる」ということ。当たり前ですが、中央値の戦略で戦えば、ほかの中央値で戦う企業とは同じ戦略で戦うことになります。そうなると競争優位は「スピード」か「コスト」かの二つしかありません。これは非常に厳しい消耗戦になります。

そしてもう一つの問題は「予測がしやすい」ということです。これについて日本人の悪弊を感じさせる歴史的なエビデンスがあります。

太平洋戦争の直前、開戦はどうも避けられそうにないと考えた米国は、すでに東南アジアにおいて日本との戦闘経験があった同盟国の英国に「日本軍というのはどういう戦い方をするのか？」ということを尋ねたのですね。この質問に対する英国の回答が面白い。何と書かれているかというと「日本軍は欧州で一般的な戦略論の模範的な生徒である」「一世代前の戦略論の教科書に対して非常に忠実な反応をするため、リアクションの想定が非常に容易である」といった分析が書かれています。日本軍はまさに中央値で戦っていたわけです。

しかし、戦いにおいてこれではやっぱりマズイわけですね。基本的な戦略に忠実なだけでは、敵に先々の戦術を読まれてしまいます。ですからこうしたときには、「相手が予想もしない、驚くべき、想定とまったく異なるような発想でいて、大局的に見たときに合理性がある」戦略を採ることが望ましい。

これは戦争に限った話ではありません。ビジネスや経営においても、競合を大きく引き離すような画期的戦略には一種のサプライズが常に含まれているものです。「えっ?」と相手が驚くような、一見するとセオリーから外れたアクションやコンテンツでありながら、「フレームを変えて見たときにはしっかりとした合理性がある」戦略が重要になるのです。

しかし、この第二次世界大戦時の日本軍の例を考えると、AIが進化することは、日本人にとってはつらい時代に突入することになるのかもしれません。日本人は中央値が好きで、中央値で戦うことに安心するところがあるからです。

「バカな」と「なるほど」

経営学者の吉原英樹さんが書いた『「バカな」と「なるほど」経営成功の決め手!』(PHP研究所)という本があります。「バカな」というのは、つまり「一見するとあり得ないように思える戦略」ということです。そして「なるほど」は、「よくよく聞いてみると深い合理性がある戦略」のことです。先ほどのChatGPTの話に絡めれば、「バカな」というのは統計的な外れ値だということです。しかし、その外れ値に深いレベルでの合理性がある、そのような戦略のことです。こういった戦略の例としてよく取り上げられるのが、ローコストキャリア（LCC）のはしりである米国のサウスウエスト航空の戦略です。

それまでのエアライン事業は、多くの広域航空路線が乗り入れているハブ空港を結ぶものでした。ハブ空港は多くの利用客がいますから、より多くの需要に取り込むためにハブ空港とハブ空港を結ぶ基幹路線を志向するのは合理的なように思えます。

そのような常識が業界に浸透していた時代に、サウスウエスト航空はハブ空港を使わずにローカル空港とローカル空港のピストン輸送を事業の主軸に据えると言い出したのです。この時点で多くの競合企業は「?」と思ったことでしょう。

さらに特徴的だったのが「機体を一機種に絞った」ことです。路線ごとに異なる多様な旅客の需要量に対応すべく、それまでのエアラインは小型の機種から大型の機種まで複数の航空機を揃えていましたが、サウスウエスト航空では使用する機体をボーイング737の1機種に絞ったのです。

結果として、同社が事業を始めた当初、業界関係者の多くは「こんなものうまくいくわけがない」と無視したのです。

しかし、この一見すれば「バカな」と思えるサウスウエスト航空の戦略には、実は「なるほど」と思える深い合理性がありました。

ローカル空港間の移動は、たしかにハブ空港間の移動に比べると市場は小さい。しかし、競合がほとんどいないので自ずと小さな市場を独占できるというメリットがある。価格競争にも巻き込まれない。またローカル市場での需要はグローバルな移動と比較すると経済や社会の動向に対して影響を受けにくい。

また1種類の機体しか使わないので、予備部品の在庫の管理は楽になりますし、パイロットの訓練に使うシミュレーターも1機種分でいい。整備についても1機種の整備免許があれば事足りる。これらのことから、大きく必要経費を下げることが可能になりました。

ChatGPTの登場によって「中央値の戦略」がコモディティ化する時代においては、サウスウエストが実践したような「外れ値の戦略」こそが、競争優位を生み出すことになるでしょう。

「外れ値戦略」で求められる能力

しかし、こういった「外れ値の戦略」を見出し、それを実行するのは非常に勇気がいることです。前例主義や横並び主義から離れて「これはみんながやっていることではないし、先行事例もない。それでも理屈で考えればうまくいくはずだ」と、例外的な戦略の合理性を突き詰めて考える。そのためには、どこまでも論理的に考え続ける「思考の粘り強さ」と、その結果として生み出された外れ値の戦略を信じて実行する「精神的タフネス」が求められます。

私はことあるごとに「戦略には意外性が必要。意外性のない戦略は戦略とは言わない」―「他者から見て大胆と思えるような行動こそ未来を切り開く」という話をしていますが、このような話に対して「自分にはその勇気がない」―「自分にはそれだけの胆力がない」などと弱音を吐く人が少なくありません。しかし、そこで「勇気の話」「胆力の話」に逃げてしまってはダメだと思うのですね。

胆力があるように見える人は、考え抜いた結果として「今のままではダメだ」「こうすれば必ずうまく行くはずだ」といった信念を持ち、行動しているのです。考えの足りない人からすると、その動きは胆力があるかのようにも見えるのでしょうが、実際には彼らなりの勝算があって動いているのです。

サウスウエスト航空の例以外にも、たとえばアパレルの世界でユニクロの柳井正さんがやったこと、物流の常識に抗ったヤマト運輸の小倉昌男さんがやったこと、みんなそうです。

当たり前の正解、つまり「中央値の戦略」でChatGPTと戦えば人間に勝ち目はありません。人間が人間にしかできないことを思考し、あるいは行動して大きな価値を生み出すためには、現状では当たり前だと思われていることを徹底的に疑い、「深い合理性を持つ外れ値の戦略」を見つけること、これしかありません。

さらに言えば、だからこそ今世界中で「リベラルアーツの復権」が叫ばれているのでしょう。なぜなら、リベラルアーツとはまさに「思考を束縛するものからの自由＝リベラルになるための技術＝アート」だからです。

iPhoneもテスラも完全な「外れ値」

市場調査の結果を踏まえて事業を進めることも、やはり中央値の考え方です。その結果、滅びてしまったのが日本の携帯電話産業でした。

デザイナーの原研哉さんが言っていることですが、「センスの悪い国で市場調査やマーケティングをきちんと行うと、センスの悪い商品が出来上がる」というのですね。それこそがまさに日本の携帯電話産業で起こったことです。センスの悪い国でマーケティングをしてセンスの悪い商品を出し続けた結果、かつての隆盛は見る影もなくなってしまいました。

このような状況を見たスティーブ・ジョブズは「なぜ携帯電話はこんなにダサイのか？」という視点からiPhoneを発想し、世に出したわけです。ではその当時の市場調査の結果としてiPhone的なものがどのくらい求められていたかというと、これはもう完全な外れ値で、消費者の誰もがそんな製品は想像すらしていませんでした。2003年に創業されたテスラも同じです。その当時に市場調査を行えば、大多数の人たちは電気自動車など見向きもしなかったでしょう。

市場調査の結果から見れば、一番太い需要は論理的には中央値のところにあるわけです。それを頼りにした戦略を採っていたならば、テスラの電気自動車もアップルのiPhoneも生まれなかったでしょう。

一方、中央値のところでずっと戦い続けた結果としてグローバルな競争に苦戦しているのが日本です。しかし、市場に顕在化しているニーズの太さを確認しながらそれに応えていくというリアクティブなやり方をやっていては、テスラのような事業は生まれないと思います。

テスラが創業したのは2003年ですが、当時の状況を改めて振り返れば、自動車のパワーユニットは化石燃料で動くレシプロエンジンというのが常識で、それを誰もが当たり前だと信じていたわけです。経営戦略論やマーケティングの教科書に出てくるような「潜在的なニーズをとらえて事業化せよ」などということを考えたら、あのような事業など絶対に興こせません。この当時に「新興電気自動車メーカーのテスラはいずれトヨタの時価総額を抜く」などと言ったら、酔っ払いの戯言、世迷い言に聞こえたでしょう。しかし20年が経ってみると、テスラは世界中の自動車会社の時価総額を合わせたよりもすでに価値のある会社になっているのです。

つまりは、「中央値から外れる勇気」を持った人たちが、この20年間に巨大な事業をつくってきたとも言えます。そしてＡＩ時代には、そのような中央値から外れる勇気にこそ、人間本来の知性が求められるのではないでしょうか。

「ＡＩが脚本を書く」とは？

芸術やエンターテインメントの分野にも生成ＡＩの影響は及んでいます。ハリウッドでは２０２３年５月から俳優と脚本家たちによる長期間のストライキが行われていますが、重要な要求の一つがＡＩの利用に関して。脚本家組合は、ＡＩに自分たちの脚本を学習させることに反対しているのです。脚本たちの危機感はわかりますが、このようなＡＩ利用に関する議論は、非常に不毛だと思いますね。

脚本のＡＩ利用についていうと、どこまでが人間がつくったもので、どこまでをＡＩがつくったのかを区分するのはとても困難です。たとえば「ドラえもんが上司で、のび太が部下という設定で４００字ぐらいのコメディストーリーをつくって」とChatGPTに入力すれば、一応は何かしらのお話をつくってくれます。

しかし、ではこれを「ChatGPTがつくったシナリオ」と言えるかというと、それはできません。なぜなら、世界観の背景をなすフレームは人間がつくっているからです。あまりにナイーブにＡＩの能力を考えすぎですね。要するに計算機ですから、何らかの入力を人間がしないとＡＩは何も返してきません。

何らかの初期条件を与えないことにはつくることができず、その初期条件を与えるのが人間だということになると、どこまでのＡＩ利用が「ＡＩによってつくられた」ことになるのか。それを定義することはかなり難しい問題……というより不可能なので考えることをやめたほうがいいと思います。

芸術やエンターテインメントから人生の悦楽を享受している一人の人間としての立場から言えば、生成ＡＩがその領域に入ってくることによってこれまでになかった楽しみが増えるのであれば、私個人としては大歓迎ですけれども、実際にＡＩによって素晴らしい芸術やエンターテインメントを生み出される時代がくるのかといえば、その点についてはかなり懐疑的です。

生成ＡＩはモーツァルトに勝てない

先述した通り、「知性」についての定義は定まっていませんからシンギュラリティは命題として無意味です。だから「すでに起きている」とも言えるし「永遠に起きない」とも言える。

人間の知性の多重性について、ハーバード大学の教育心理学者ハワード・ガードナーは「マルチプル・インテリジェンス＝多重知能」という概念を提唱しています。私たちは「知性」というと、数学の問題に答えを出すような、非常に単層的な力をイメージしてしまいがちですが、実際の知性はもっと多重で多様です。

たとえば「身体的知性」ということを考えてみれば、大谷翔平選手は１６０キロで投げられたボールの到達地点を予測してバットを出してこれをスタンドに運ぶという動作をやっているわけですが、これは物理学の計算で解析的な答えがあります。しかし、大谷選手はそのような計算はバイパスして答えを出している。これもある種の知性＝インテリジェンスなわけです。

ある空間がもたらす感興を仮想的にイメージする建築家の想像力も一種の知性ですし、人を霊的に興奮させるような言葉を紡ぐことができる宗教家の能力も一種の知性だということをハワード・ガードナーが言っていて、それらを総称して多重知能としています。

このような人間の多重知能とＡＩの能力を照らしてみたときに、人間とＡＩでは極端な非対称性が生まれてくることになるだろうと思います。

たとえば、ＡＩと勝負して人間が絶対に敵わない領域はあります。チェスや将棋、囲碁などがそうで、これらの分野は圧倒的にＡＩのほうが強くなっています。その一方で「ＡＩがつくった音楽がヒットチャートを独占して、ビルボードの上位に人間が食い込めない」といった状況が起きているかというと、その気配すらありません。「ＡＩが小説を書いた」といって大騒ぎをする人もいますが、書くだけなら幼稚園児にだって書けるわけで大騒ぎするほどのことではありません。

ＡＩが将棋や囲碁の世界で発揮している競争力が、そのまま文学や音楽にも当てはまるならば、ＡＩが書いた小説がノーベル文学賞を受賞し、ＡＩが作詞・作曲した音楽がビルボードのヒットチャート上位を独占するような状況となるはずです。

しかし実際はどうかというと、将棋や囲碁の世界では世界チャンピオンが圧倒的大差で敗れる状況が起きているのに、文学や音楽の世界では、贔屓目に言って「まあまあのアマチュア」程度の能力しか発揮し得ない。これが私のいう「非対称の状況」です。

チェスや囲碁、将棋の天才たちを凌駕したことをもって「ＡＩはすごい」と言う人がいますが話は逆で、正解を出すことが得意なＡＩにとって将棋や囲碁で人間に勝つというのは、傑出した音楽や文学作品をつくることに比べて非常に簡単だったということです。このような指摘を不愉快に感じる人もいると思いますが、現実に起きている状況を説明すれば、そうとしか言いようがありません。

そういえば、ノーベル物理学賞を受賞された小柴昌俊先生は、よく「アインシュタインとモーツァルトのどちらが天才と思うか」という質問を挙げたうえで、彼自身の答えがモーツァルトだという話をしていました。

理論物理学者としての小柴先生の謙遜なのかもしれませんが、彼自身の回答を引けば「アインシュタインの相対性理論は物理学を突き詰めていけば、必ずいつか誰かが発見する。しかし、モーツァルトの音楽は誰にもつくることができない。だからどちらが天才かといったら、モーツァルトだ」というのですね。

それと同じ考えをＡＩの議論に当てはめたときに、モーツァルトやバッハ、ベートーヴェンのような「人類が宇宙にも必ず持って行かなければいけない人類の遺産」とも呼ぶべき知的生成物を、ＡＩが生み出し得るのかといえば、現時点でその可能性は片鱗すら見えていません。

人間の最高峰の知性が「芸術の創造」なのだとすれば、少なくともこの一点において、シンギュラリティというのはたわ言だと言うしかありません。

AIによって芸術は二分化

たとえば音楽について考えてみましょう。誰が聞いても気持ちのいい音の並び方、というのはパターンがわかっていて、これは作曲の教科書などを読むと書かれています。つまり、先ほどの枠組みで説明すれば、これは「中央値の音楽」ということになります。しかし、そのような「典型的に気持ちのいい音の並び方」ばかりでつくられた音楽が、世の中で話題になったり、歴史に残ったりするかというと、まったくそうではないのですね。

モーツァルトやショパンの音楽というのは、その時代における「典型」などではまったくなく、言葉を選ばずに言えば「異常な音楽」……つまり「外れ値の音楽」です。典型から大きく外れているにもかかわらず……いや、だからというべきか、その作曲家の個性が強く出る、非常に個性的な音楽になっているわけです。このような音楽は、その特性上、AIに生み出すことは難しいと思いますね。

芸術作品として後世に残るような音楽作品をSランク、一つの時代に流行したり話題になったりする作品をAランクとした場合、AIがつくることができるのは、せいぜいその下位。「それなりにあればいい」という程度のBランクの作品なのだろうと思います。

だから芸術やエンターテインメントに関していうと、今後AIによって淘汰されることになるのはBランクの作品をつくる仕事でしょう。たとえば、テレビCMで30秒の映像に合わせるための音楽が必要なときに、今までならば名の知られていない作曲家たちがそれをつくり、それなりの報酬を得て豊かな暮らしをしていました。しかし、そういった「中央値で戦っている人たち」の仕事はAIに取って代わられることになるだろうと思います。

コピーライターなんかも同様ですね。広告キャンペーンなどにおいて、そこそこのキャッチコピーさえあればいいというとき、現時点でもChatGPTに頼むとそれなりのコピーを数百個ぐらいは即座に出してきてくれます。そのなかからよさそうなものを適当に選んであてはめるといったこともすでに行われています。

生きることは「飾ること」

だから商業性の強い創造活動、「長く残るものをつくる」のではなく経済活動のなかで消費されることを前提につくられる創造物については、近い将来、ほとんどがＡＩに取って代わられることになるだろうと思います。そのような時代において、人間に残された仕事が何かを私たちはこれから考えなければなりません。

この問いについて、これからいろんな答えが提案されることになると思いますが、個人的にはウィリアム・モリスの言葉が一つのヒントになると思います。

ウィリアム・モリスは19世紀の英国に活躍したデザイナーであり社会主義者ですが、彼は文明化が終了し、誰もが一定の便利さ、豊かさを享受できるようになった社会——これはつまり現在の日本のような社会ですが——において、人間に残された仕事は何か？　ということを考えた人です。

この問いに対するモリスの答えが非常に秀逸で、それは「飾ること」だと言っているんですね。便利で快適な世の中が出来上がった後で、人間に残された最後の仕事は「生活を飾ること」だ、と。

極論すれば、モリスはつまり「生きることは飾ることだ」と言っているわけです。そして改めて考えてみれば、私たちの生活は「総合芸術」だということにも気づきます。「総合芸術」というのは、もともとはオペラについて言われた言葉ですね。文学、戯曲、衣装、舞台美術、音楽……それらが総合されたものだということですが、実は「生きる」ということも同様です。たとえば家の中には、絵画、家具、庭、料理、音楽、衣装、文学といったものがすべて関わっている。私たちが生活をつくり上げるとき、その活動は必然的に「総合芸術」に接続されているのです。

そして、その営みにこそ「生きる悦び」があるのだと考えれば、その他の領域のものなどさっさとＡＩにくれてやってしまえばいいではないか、と私は思っています。

第三章
ChatGPTを仕事に活用してわかった「驚異の能力」と「ウソの答え」

野口悠紀雄（経済学者）

文章の校正、翻訳・要約、そして雑談相手

この半年ほどの間に、ChatGPTが実に様々な用途で利用できることがわかってきました。私の活用法は、現時点で次の三つです。

一つ目は、文章の校正。

私は文章を書く時に、スマートフォンの音声入力を使っています。この方法だと、20分の散歩の間に3000字程度の草稿を書くことができます。ただ、音声入力なので意図しない変換ミスが出ることは避けられません。そこで、音声入力した草稿について、ChatGPTを使って校正するという使い方をしています。

ChatGPTを使う前は、20分足らずで入力したテキストの修正に、60分もの時間をかけていました。修正作業は時間がかかるだけでなく、極めて退屈な作業でもあります。それがChatGPTを使うことで、前後の作業を含めて5分程度で完了するようになりました。しかも、その校正能力の精度には驚くべきものがあります。「次の文章にある誤りを修正してほぼ同じ文字数の文章を書いてください」と指示すれ

ば、助詞や接続詞などのひらがな部分について、ほぼ完全に修正された文章が出力されるのです。

ただ、ChatGPTは日本語の文体において、改善の余地があるとも感じています。例えば、口語体で書くように指示すると、くだけすぎた文章になることもありますし、文語体での出力を指示すると、明治の政治家のような文章になってしまうこともあります。どういう指示を出せば自分の望むアウトプットが得られるのかについては、今も試行錯誤しているところです。

また、私は、ChatGPT特有の文章が好きではありません。ですからChatGPTに、音声入力したテキストの校正を頼みはしますが、それで終わりにすることはしません。修正後の文章に必ず自分で手を入れるようにしています。ChatGPTのつくる文章は比較的自然であり、一般的に受け入れられるレベルといわれているのですが、実際には単語の誤用も散見されます。また、いわゆる〝バイト敬語〟を使うこともありますし、うんざりするような常套句《じょうとうく》を使うこともあります。この点は、大規模言語モデルの学習過程に根ざす問題なので、今後も改善を期待するのは困難です。

とはいえ、音声入力で自分の考えていることをアウトプットすれば、あとはChatGPTが文章の見かけをほぼ完璧に整えてくれるようになったことに変わりはないでしょう。原稿を書くにあたっての私の作業効率が、飛躍的に向上したのは事実です。

私が実践するChatGPT活用法の二つ目は、英語の論文の翻訳と要約です。

これは英語の速読ができない日本人にとって、非常に有用な機能だと感じています。

私はこれまで、海外の情報を集めるときに検索エンジンを使っていたのですが、「こういう問題について論じたアメリカの大学の論文で、最近出たもの」というような指定をしても、求める情報にはなかなかたどり着けませんでした。実際には、SEO対策がされている記事や広告ばかりが上位に表示されるからです。

しかし、GPT－4でウェブをクロール[※1]してくれるプラグインを用いて「こういう問題について論じたアメリカの大学の論文で、最近出たもの」と指示すれば、条件に合った論文を短い要約と共に示してくれます。その要約に目を通せば、全文を読む価値がある論文かどうかを判断することができます。この使い方ができるようになって、私の情報収集能力は格段に上がりました。

三つ目は、雑談相手です。

ChatGPTは、いつ話しかけても、どれだけ長く話しても、同じ質問を何度繰り返しても、嫌な顔をすることがありません。どうもChatGPTは、失礼なことを言わないように訓練されているようで、雑談の中でこちらが嫌な気持ちになることがありません。実に理想的な雑談相手といえるでしょう。

かつて映画館で『市民ケーン』という映画を観たとき、私は最後の場面で席から立ち上がれなくなるくらいの感銘を受けました。しかし、これまでの人生で、その

※1　クロール……ソフトウェアがインターネット上を自動的に巡回し、さまざまなウェブサイトから内容を収集し、保存していく処理のこと。

感動を誰かと分かち合えたことはありませんでした。ところが、ChatGPTにこの映画についての話題を持ちかけたところ、「あなたもあの映画の真髄を理解なさったんですね」という回答を返してきたのです！　その答えを見て、私は初めて「自分が本当に好きな映画について語り合える友人を見つけた」と感じました。

ハルシネーション――平気で嘘をつくChatGPT――

逆に、ChatGPTを使う上で気をつけているポイントもあります。

まず、論文や評論の執筆。私はこれらの仕事を、絶対にChatGPTに頼みません。なぜなら、ChatGPTが生成した文章には、誤った情報が含まれる危険性が高いからです。

ChatGPTなどの「生成AI」において、事実とは異なる内容や、文脈とは関係ない情報が出力されて文章が生成されることを「ハルシネーション（Hallucination）」といいます。ChatGPTではハルシネーションが往々にして起こるということを正しく理解していないと、大変なトラブルに発展しかねません。

例えばアメリカでは、審理中の民事訴訟で弁護士が資料を作成する際にChatGPTを使用したために、裁判で架空の判例を挙げてしまうという事件が起こりました。

これは極端な例で「自分には関係ない」と感じる人もいるかもしれませんが、決して他人事ではありません。「ChatGPTは平気で嘘をつく」という危険性を、よく知っておく必要があります。

「日本の賃金の問題について3000字程度の評論を書いてください」と指示すると、ChatGPTは非常にもっともらしい論文を書きます。ただ、書いてある中身に誤りが含まれることは珍しくないのです。ChatGPTの出してきた情報の真偽を確かめることなく、むやみに使うのは、非常に危険です。

この点に関して、政府は早急に警告を発するべきだと考えています。なぜなら、ChatGPTの活用が、教育の分野で進みつつあるからです。

理想的な家庭教師となり得るChatGPT

アメリカでも日本でも、ChatGPTは「ビジネス」より「教育」の分野での活用が進みつつあります。ChatGPTが理想的な家庭教師となり得ることに、多くの人が気づき始めているからです。

なぜなら、ChatGPTは、知りたいことをピンポイントで即座に教えてくれるからです。調べものをしている間に気が散ることなく、疑問をその場で解決することが可能なのです。

一例を挙げましょう。小学生で分数の割り算を習う際、「割られる数に割る数の分母と分子をひっくり返してかけましょう」という説明を受けます。小学生の頃、なぜそうするのか疑問に思った人も多いはずです。「そういうものだから」と、理屈もわからないまま覚えさせられた記憶のある人もいるでしょう。

今ではインターネット検索で理由を調べることもできますが、小学生の子どもたちにとって、自分で検索して該当するページを見つけ、内容を読んで理解するのは、ハードルが高いと言わざるを得ません。

しかし、ChatGPTに質問すれば、即座に丁寧に答えてくれます。それは他の質問でも同様です。子どもたちにとっては、いつでも、どこでも、何度でも質問でき、しかも即座に答えてくれる家庭教師が現れたということになります。

実際にアメリカでは、ChatGPTを家庭教師として使う人が増えています。教育関連のオンライン雑誌（Intelligent.com）が6月に公表した調査結果によれば、高校および大学生の85％、学齢期の子を持つ親の96％が、「人間の家庭教師よりChatGPTのほうが優れている」と回答しています。すでに完全にChatGPTに切り替えたという高校生・大学生は、回答者のうち39％にものぼるというのです。

ChatGPTを上手に活用できれば、これまで経済的な理由から塾に通えなかった子どもたちが無償または比較的安価に個別指導を受けられるようになります。また、国内外を問わず、貧困のために進学を諦めた子どもたちもChatGPTを家庭教師として自学ができ、将来の可能性を広げることもできるでしょう。それは貧富の差を縮小することにつながるはずです。

ただ、ここで忘れてはならないのが、ハルシネーションの問題です。多くの人は「数学や物理学のような、いわゆる『ハードサイエンス』と呼ばれる分野であれば、ChatGPTもさすがに間違えないだろう」と考えがちです。しかし、そのような分野であっても、ChatGPTはとんでもない間違いをすることがあります。ChatGPTを家庭教師の代わりとして頼り切ってしまうと、子どもたちが間違った知識を習得してしまう危険性が高くなるわけです。

そのため、今、学校教育の現場で一番重要なのは「ChatGPTの答えをそのまま信じると、間違った知識を身につけてしまうことがある。決してむやみに信頼してはいけない」ということを、先生が子どもたちにきちんと伝えることです。

文部科学省が2023年7月に出したガイドラインでは「レポートの作成において全面的に依存してはいけない」といった内容が強調されていますが、それ以前に一刻も早く子どもたちに伝えるべきことは、「むやみに使うと危ない」と警告を発することなのです。

ハルシネーションは大規模言語モデルの深刻な問題ですが、まったく対策がないわけではありません。一つの方法は、プラグインを使ってウェブをクロールさせ、関連のあるサイトの表示を求めることです。ただ、現時点では、プラグインは有料のGPT－4でなければ使えません。これを使うには、毎月20ドルを払って有料の会員になる必要があります。20ドルは、途方もなく高額というわけではありませんが、誰もが毎月、気軽に払い続けられる金額でもありません。

これはつまり、子どもの教育のために月20ドルを出せる家庭かどうかによって、子どもたちがChatGPTから得られる情報の質に大きな差が出るということです。ChatGPTは貧富の差を縮小する可能性を持ちながら、逆に格差を拡大してしまう危険性もはらんでいるのです。これこそが教育における問題点であり、今まさに大いに議論すべき問題だと私は考えています。

ところが、日本に限らず、ChatGPTの家庭教師としての活用が比較的進んでいるアメリカにおいても、この問題についての議論は起きていません。ChatGPTは私たちに素晴らしいメリットをもたらすように見えながら、実は社会に大変な問題をもたらす危険性もあることを、私たちは知っておく必要があります。

もし、文部科学省がすでにこの問題に気づいているのであれば、どんな家庭の子どもにも毎月20ドルを補助するというような施策をとることが考えられるはずです。しかし、現時点ではChatGPTの使用に関するガイドラインを出すというレベルの対応に止まっており、それ以上のことが議論されている気配はありません。ゆゆしき事態といえるでしょう。

激変する教師の役割

知識の習得にChatGPTが活用できるようになれば、教師の役割も変化していくことが予想されます。ただし、それは生身の教師が不要になるということではありません。

これまで教師の役割は、大きく分けて二つありました。

一つは知識を教えることです。これは、いずれChatGPTをはじめとする生成AIに代替されていく可能性があります。

もう一つは児童生徒の人格形成です。これについては、今後も人間が担っていくことになるでしょう。自分自身の子どもの頃を振り返ってみても、先生によいアドバイスをしていただいた記憶は今でもたくさん残っているくらいですから、非常に重要な役割です。今後、特に初等教育や中等教育においては、子どもたちの人格形成において果たす役割の比重がより増えていくと考えられます。

学校での授業にChatGPTを取り入れている教師も出てきているようですが、「ChatGPTと議論しながら、自分の町でどんなイベントをするか考えてみよう」というような使い方をしているのだとしたら、私はそれが大きな意味を持つようには思えません。

なぜなら、ChatGPTには創造力がないからです。ChatGPTは文章をつくる仕組みであり、新しいアイデアを創造することはできないのです。ChatGPTは学習した情報からいくつかの案を提示することはできても、その仕組み上、自らアイデアをつくりだすことはできません。ChatGPTを活用していく上で、それを知っておくのは非常に重要です。

文部科学省のガイドラインでは、望ましい使い方として「英会話のパートナー」というアイデアが示されていました。この使い方について、私は否定的な立場です。

確かにChatGPTに英語を投げかけて、正しい英語を返してもらうことができるのは事実です。しかし、英語の勉強において大事なのは「話す」ことではありません。英語を話せないのは「聞く」ことができないからです。完全に聞けるようになれば、自動的に話せるようになるのです。これは私の留学生のときの経験からして明らかです。

そもそも、英語で「話す」ことができたとしても、「聞く」ことができなければ会話は成立しません。外国で道に迷ったとき、「駅に行くにはどうしたらいいですか？」と尋ねたら、ものすごいスピードの答えが返ってきて困った……という経験を持つ人は多いでしょう。また、日常会話では、相手が論理的にわかりやすく説明してくれるとも限りません。会話をする上では、話すこと以前に人の話を聞いて理解できることのほうが重要です。

今はインターネット上に英語の音源がいくつもあって、簡単に聞ける環境です。だから、それらを利用して「聞く」ことを繰り返し、そのフレーズを暗記していけば自然と話せるようになります。「話す」という部分だけを取り出して練習したとしても、英語で流暢に会話をするためには、あまり意味がないのです。

ただ、語学教育においてChatGPTが非常に強力なツールになり得ることは間違いありません。ChatGPTは「書く」ことの練習をするために非常に役立ちます。

私の場合であれば、例えば「日本の経済は今どうなっているか」という内容の文章を英語で書き、ChatGPTに校正してもらうという使い方ができます。そのときChatGPTが返してくれた文章を暗記しておけば、他の場面でも応用することができます。

これまでの学校教育では、授業の中で英文を書く練習をすることが困難でした。「書く」ことは英語の学習において非常に大事な要素であるにもかかわらず、集団授業では教えるのが大変だったからです。

英文を書けるようになるには、一人ひとりの生徒が書いた英文を教師が添削してフィードバックし、生徒はそれを受けて正しい英文を暗記していくことの繰り返しが必要です。しかし、この作業をクラスの数十人の生徒に行うには教師側に多大な負担がかかり、学校という場で日常的に続けていくのは困難でした。

しかし、ChatGPTを活用すれば、それぞれの生徒が作成した英文について、瞬時に正しいフィードバックを返すことができます。

ChatGPTは日本語についておかしな表現を出力することはありますが、英語についてはかなりよい文章を出力してくると私は感じています。ChatGPTは語学の勉強において、使い方次第で有能なツールになり得るというのが私の考えです。

生成AIが知的労働へ与えるインパクト

ChatGPTが教師の仕事の中身を変化させる可能性があることはすでに述べましたが、教師だけでなく、生成AIが知的労働へ与えるインパクトには非常に大きなものがあります。生成AIが高度な知的労働に大きな影響を与えることは、すでに明らかです。いくつか実証実験が行われており、その一つにアメリカのペンシルバニア大学とOpenAIなどによる共同研究があります。この論文では、どういう類の知的労働がどの程度影響を受けるかということについて、非常に緻密な分析がなされています。ChatGPTの導入によって、アメリカの労働人口の約80%の人の仕事の10%以上が影響を受ける可能性があり、アメリカの労働人口の約19%について、仕事の50%以上が影響を受ける可能性が示唆されています。

知的労働の中でも法律関係の仕事が激変することは、多くの人が指摘するところです。それは、法律関係の仕事が文書に基づいて行われるものだからです。ただし、ハルシネーションの問題があるので、それをいかに回避するかが重要な課題となっていますが、日本でもスタートアップ企業が法的な文書のデータベースにAPI接続することでハルシネーションを回避する仕組みをすでに開発しています。[※2]

その一つが、東大発のスタートアップ企業である株式会社Legalscapeです。GPT－4をベースにして独自に開発した対話型AIで、すでに日本の司法試験の一部科目で合格レベルに達する正答率を実現しました。開発したAIを法令関連情報の検索サービスに応用し、商品化することが予定されています。このようなリーガルサーチに特化した対話型AIを使って「こういう問題についての判例を出して」と指示すれば、文献を引用して教えてくれるようになります。法律文献に依拠して回答するので、先述のアメリカの弁護士のような失敗をすることもありません。

このようなスタートアップがいくつも出てくれば、法律家がやっている仕事のかなりの部分が次々とChatGPTに置き換わっていくでしょう。ChatGPTの登場により、今や弁護士という職業の終わりの始まりが来ているのです。

ただし、弁護士の仕事がまったくなくなるということは考えられません。それは教師の場合と同じで、ChatGPTで置き換えられる仕事もあれば、そうでないものもあるからです。

弁護士は、いかに法律や判例の知識があるかということだけでなく、相談に来た人の心に寄り添ったアドバイスをできるかどうか、担当する案件に対する洞察力や判断力があるかということが求められるようになります。この変化に合わせて仕事の内容をシフトできた弁護士には、多くの人が依頼するようになるでしょう。


また、医療についても大きな変化が起きることが予想されます。

その一例として、生成ＡＩによるセルフトリアージの支援が挙げられるでしょう。セルフトリアージというのは、自分の症状から病院に行く必要があるかどうかを判断することですが、その際に生成ＡＩが活躍するようになることが考えられます。

※2　ＡＰＩ……アプリケーション・プログラミング・インターフェース（Application Programming Interface）の頭文字をとったもの。ソフトウェアやプログラムなどの間をつなぐインターフェースであり、異なるソフトウェアやプログラムを連携させることができる。

すでにセルフトリアージに特化した生成ＡＩの開発は進んでおり、臨床医と同程度の正確さで答えられるようになっているという報告もあります。特にGoogleがこの目的に特化した生成ＡＩをすでに開発しつつあり、期待が高まっています。もし実用化されれば、生成ＡＩを使って、かなりの精度で医師と同様の診断を受けることができるようになるはずです。

医療が法律の場合と異なるのは、間違った診断をしてしまうと人の命に関わるということであり、そのために実用化へのハードルはかなり高くなります。とはいえ、医師の間でも、生成ＡＩによって医療のあり方に大きな変化がもたらされることは、まず間違いないだろうと考えられています。

現在、日本は急速に高齢化が進んでおり、医療に対する需要は増えています。医師の仕事の一部をＡＩが担えれば、患者の対応に追われる医師の負担を軽くできるだけでなく、患者が病院に通う際の負担を減らすこともできます。そのため、私は生成ＡＩが医療分野にもたらす変化に大いに期待をしています。

ただ、弁護士も医師も強い政治力を持った団体なので、自分たちの利益にならないことを容易には受け入れないでしょう。政治的な圧力がかかる中で新しい技術を取り入れていくには、私たちがその技術がどういう利益をもたらすかをよく理解し、こちらから積極的に働きかけていくことが必要です。

ChatGPTがビジネスにもたらす変化

ChatGPTの活用によって、ビジネスの世界も様変わりする可能性があります。すでに進んでいるのは、カスタマーサービスへの導入です。従来はチャットbotなどを使って自動応答をしたり、電話対応にIVR[※3]を用いて「○○についてお問

※3　IVR……インタラクティブ・ボイス・レスポンス（Interactive Voice Response）の略で、コンピューターによる音声自動応答システムのこと。これにより、営業時間外であっても電話対応ができるようになった。また、定型パターンの問い合わせについては、対応するスピードを上げることができた。

い合わせの方は『1』を押してください」というようなガイダンスを流して応答するシステムが使われてきました。これらのシステムは、カスタマーセンターの電話業務の負担を減らすことにはいくらか貢献しましたが、対応の精度という面では不十分でした。チャットｂｏｔは細かいことまでは答えられなかったり、柔軟に対応できなかったりする場合があります。また、ＩＶＲで何度もボタンを押すことを求められるのを鬱陶しく感じる人もいます。これらの不満をChatGPTで解決しようというスタートアップが、日本でも出てきています。

ChatGPTの導入が進むことで、消費者がこれまでの不便から解放されるようなサービスが次々と生まれてくるでしょう。

例えば、家電の調子が悪くなってしまったけれど取り扱い説明書を見てもよくわからないという場面で、ChatGPTに聞けば即座に詳しく教えてもらえるようになることが考えられます。ChatGPTは24時間いつでも対応してくれますし、これまでに電話で問い合わせをしたときのように、順番を待たされてストレスを感じることもありません。もっともらしい嘘をつくことのあるChatGPTですが、企業のデータベースにAPI接続して回答するように仕組みを整えれば、ハルシネーションの心配もありません。

同様のことは、家電に限らずあらゆる製品について可能です。これはChatGPTをはじめとする生成AIを活用したソフトウェアによるサービスが、製品というハードウェアのサービスを補うということができるようになるということです。消費者が複数の商品を比較検討する際、機能に大きな差がなければ、多くの人はソフトウェアのサービスが充実しているほうを選ぼうと考えるでしょう。そうなったとき、ソフトウェアによるサービスの強化に成功した企業ほど、売り上げを伸ばすようになるはずです。

また、ビジネスの世界にもたらすインパクトとして、デジタルマーケティングのあり方の変化も見逃せません。現在は自社のサイトを使ったり、SNSを駆使したりしたデジタルマーケティングが行われていますが、広告のコピーや説明を書くコピーライターがChatGPTにとって代わられるという変化が、アメリカではすでに起きています。優秀だけれど単価の高いコピーライターよりも、多少クオリティは落ちるとしても合格点のコピーを瞬時に書けて、しかも無料または比較的安価に使えるChatGPTが選ばれるということが、すでに現実のものになっているのです。

かつて産業革命のとき、機械に職を奪われた労働者たちは機械の打ち壊し運動をしました。しかし、その抵抗が何の効果ももたらさなかったように、今、この動きに逆らおうとしても無駄です。次々に起こる変化を止めることはできません。私たちはうまく対応していくしかないのです。たった半年でChatGPTがこれだけのインパクトを世界中にもたらしているのを見て、私は日本経済の行く末に非常に強い危機感を抱いています。

企業経営にChatGPTをどう活用するべきか

ChatGPTはビジネスの現場だけでなく、企業経営のあり方にも影響を及ぼします。経営者の経験や勘を頼りにするような旧来の経営方法から脱却できない企業は、世の中から取り残されてしまうでしょう。

企業経営についてChatGPTをどう活用していくかということについて、最も重要なのは企業が持っているデータベースを使うということです。

これまで、企業のデータベースからデータを取り出して分析するのは、経営者ではなく専門家の仕事でした。ところが、ChatGPTが企業のデータベースにAPI接続すれば、専門家でなくても自然言語を使ってデータを取り出し、分析できるようになります。企業のデータベースに接続しているので情報は確かであり、ハルシネーションが起こることもありません。

ただ、一番の問題となるのは、この新しいツールを経営者が活用できるかどうかです。

もし、経営者が自ら使いこなせるようになれば、データドリブン経営が可能になります。今、自分の企業の状態がどうなっているのかを示すデータを、ほぼリアルタイムで的確に把握しながら、そのデータに基づいて経営判断をしていくことができるのです。

ただ、これを行うのは簡単ではありません。日本の企業は情報のサイロ化が進んでいるところが多くあるからです。使っているシステムが部門や部署ごとに孤立し、それぞれの部門が情報を囲い込んで連携が取れない状態に陥っているというのは、日本企業にありがちなことです。

まずは部門を超えて情報を共有し、的確なデータベースをつくらなくてはなりません。そして、どういうデータを集め、それをどう使っていくかを考えるということが必要になります。

ChatGPTが現れたことで、原理的にはどんな企業でもデータドリブン経営が可能になりました。それを活用できる企業は業績をどんどん上げていく一方で、変化に対応できない企業の末路は悲惨なことになりかねません。経営者のデータに対する考え方が切実に問われる時代になってきているのです。

ChatGPTを活かしきれない日本企業

もし日本企業の多くがこの変化に対応できなければ、日本経済は沈没してしまうでしょう。ここまでの日本企業の対応ぶりを見ていると、事態は決して楽観できるものではありません。

朝日新聞が国内の主要100社を対象として2023年7月に実施したアンケート調査によると、生成AIを業務で利用していると答えたのは41社、利用を検討していると答えたのは50社でした。

この数字を見ると、導入に積極的な姿勢を見せている企業が多いようにも感じますが、どのように使っているのかを見てみると、社内業務の効率化が37社、テキストの要約・分析・添削が31社、自動応答するチャットボットが27社となっています。この調査結果をみる限り、ChatGPTを活用してデータドリブン経営を推し進めようと表明している企業はほとんどない状況だといえるでしょう。

この調査の対象となったのは、いずれも日本を代表するような超大企業です。中小企業も含めた調査としては、2023年6月に行われた帝国データバンクの調査（「生成AIの活用に関する企業アンケート」）があります。それによると、生成AIを「業務で活用している」と回答した大企業は13・1%、中小企業は8・5%、小規模企業については7・7%という結果となっています。「業務の活用を検討している」と回答した企業は全体で52%に上りましたが、その内訳を見てみると「活用を具体的に検討していく」と回答したのは14・2％に過ぎず、「現時点では活用イメージが湧かない」と答えた企業が37・8％でした。さらに、「業務での活用を検討していない」という企業も23・3％あります。

この結果からは、日本企業のほとんどが、ChatGPTを活用したデータドリブン経営から程遠い位置にいるという現実が見えてきます。

現状を打破する第一歩は、経営者が自身の意識を変えることです。これは生成AIが日本の経済に突きつけている最大の課題ではないかと私は考えています。

地方自治体、次の「勝ち組」

同様の問題は、政府や自治体などの公的な機関についてもいえます。ChatGPTを積極的に活用しようとしている自治体が出てきていますが、明確なビジョンを持ったリーダーやガイド役の存在があるかどうかが、成功の鍵を握っているように感じます。

生成ＡＩを利用する際の手段は、二つあります。

一つは、生成ＡＩサービス機能を提供している事業者から直接サービス提供を受けるやり方です。この方法であれば、利用コストを低く抑えることができます。ただし、その分できることの範囲は限られる上、外部のサービスにデータを直接渡すことになるので機密情報や個人情報の取り扱いが課題となります。

もう一つは、生成ＡＩ事業者が提供するＡＰＩを利用するやり方です。この方法では、自前で開発したシステムからＡＰＩ経由で生成ＡＩの機能を呼び出します。これにより、独自の仕組みを構築することが可能です。さらにフィルタリングなどの仕組みを加えることで、機密情報や個人情報の流出を避けることもできます。ただ、これには大変な開発コストがかかります。

時事通信のアンケート調査によると、２０２３年6月の時点で生成ＡＩの本格利用を開始したのは4県、試験導入をしているのは10県です。

このうち試験導入をしている神奈川県横須賀市[※4]は、業務効率化の一環として実証実験を開始し、事業のアイデアづくりや文書作成に活かそうとしています。また、同様に試験導入した茨城県つくば市は、全職員を対象として庁内の業務における活用を始めました。

横須賀市もつくば市も、それぞれOpenAIとＡＰＩの利用契約を結び、自治体向けビジネスチャットサービス「LoGoチャット」を導入して職員が利用できるようにしています。

横須賀市については、LoGoチャットからChatGPTのプロンプトを利用できる機能を内製で開発しました。また、つくば市はＡＩが文章生成の際に参考にしたと考えられる資料や出典を示す独自の機能を追加しています。

現在、生成ＡＩの利用法は、もっぱら文書作成の効率化に重点が置かれていますが、生成ＡＩの持つ可能性は、それよりもずっと大きいでしょう。特に、横須賀市やつくば市などのようにＡＰＩ連携を行って独自の仕組みをつくれば、用途は大きく広がるはずです。地方自治体での活用を検討するなら、住民に向けた自動応答サービスの創設なども考えられると思います。

例えば、電話を通じてChatGPTに何でも相談できるような仕組みをつくっておけば、困窮しているのに福祉サービスにつながれず、福祉の網の目からこぼれてしまう人を減らすことができるかもしれません。行政に関する問い合わせはもちろん、プライベートな内容も相談できるようにしておけば、困りごとを抱えているのに窓口に相談できずにいる住民の大きな助けにもなるでしょう。電話から利用できるようになれば、デジタルデバイスを苦手とする高齢者であっても気軽に利用することが可能です。ChatGPTを活用して福祉サービスの質を上げることに成功した地方自治体の評判は上がり、結果として移住者が増えるという結果になるかもしれません。

ChatGPTを国会答弁に使おうとする日本政府

企業や自治体が手探りながらも活用法を模索しているなかで、日本政府がこれま

※4　神奈川県横須賀市……当該地区でのChatGPT活用の取り組みについては、戦略アドバイザーを務める共著者・深津貴之氏の解説にて詳述（163ページ参照）

でにChatGPTを何に使うと表明したかといえば、国会答弁の作成です。中央官庁の役人は国会答弁の作成のために夜中まで残って作業をします。その負担を軽減するために使うというのです。

私自身も大蔵省（現 財務省）に勤務していた頃にやっていた仕事なので、その大変さはよくわかります。ただ、国会答弁の作成にあたって何が大変なのかといえば、ChatGPTが得意とするデータや資料の収集、文章を書くことではありません。

国会答弁の作成が大変になる理由は、二つあります。

一つは政治家から質問を渡されるのが夜中になるということです。質問を渡されたときにはすでに夜の12時になっていることもあり、深夜に作業しなければならなくなるのです。

もう一つは各省庁との調整です。その答弁に関係するすべての省庁に確認をとるのですが、これはChatGPTを使ってできることではありません。

国会答弁の作成においては、ChatGPTを使うメリットが薄い上に、ハルシネーションへの注意が必要です。間違った内容を含む答弁を作成してしまうようなことがあれば、悲惨な事態を招く恐れもあります。そう考えると、日本企業がChatGPTをうまく使えるかが疑問なのと同様、日本政府についても危うさがあると言わざるを得ません。

公的機関であれ、民間企業であれ、組織の体質として、「何をしているか」よりも「そこにいるかどうか」が重んじられるような文化が残っていたり、重要な決断の際に経験や勘を持ち出すようなリーダーが指揮をとっていたりするところは危険です。そういった組織では、ChatGPTのような新たな技術を活用してこれまでになかったことを生み出そうという姿勢にはなりません。本当の問題はChatGPTという新たな技術に対して、日本の社会構造が対応できるのかなのです。

「使い道」次第で神にも悪魔にもなる

旧来の体質から脱却できずに新たな流れに乗れない企業が出ることが予想される一方で、スタートアップ企業にとっては大きなチャンスが巡ってきています。

ハルシネーションが発生する可能性をつぶしつつ、ChatGPTをより広い用途に活用するには、自社のデータベースとGPT－4とをAPI接続することになります。例えば、カスタマーサービスにおいて、自社の製品について正確に答えられるようにするという仕組みを内製で構築しようとすれば、大変なコストがかかります。なぜなら、高度な技術を持ったAIエンジニアを雇うことが不可欠だからです。

だからこそ、スタートアップにとってのビジネスチャンスが生まれます。ChatGPTを活用したいと考えているそれぞれの企業の特性を把握し、柔軟にシステム設計をして、より精度の高いサービスを提供できれば、多くの企業から必要とされるはずです。いずれは、さまざまなスタートアップによる開発競争が激しくなり、差別化されていくことでしょう。

小さなスタートアップに過ぎなかったOpenAIに、マイクロソフトは多額の投資をしてきました。ChatGPTをはじめとする大規模言語モデルの開発において費用がかさむのは、膨大なデータを学習するためです。使い道を限定し、学習の規模を縮小して開発費を抑えれば、販売価格を抑えることができます。販売価格が安ければ、小さな企業でも導入しやすくなります。今、アメリカでは小規模な大規模言語モデルの開発が次々と進んでいます。私は日本からもこの分野に挑戦する多くのスタートアップが出てくることを期待しています。

ChatGPTの登場によって淘汰される会社があれば、新しく生まれる会社もあります。消えていく仕事もあれば、新しく生まれる仕事もあります。

一年後、世界がどうなっているかは誰にもわかりません。私の仕事も、いつ生成AIにとって代わられるかわかりません。そんな切実な危機感を抱きながら、一方で私は、非常に面白い局面にあるとも感じています。

ChatGPTは私にとってパワードスーツのようなものですが、ChatGPTを使い倒そうとは考えていません。使い倒そうとすると、こちらが倒されてしまいかねないからです。ChatGPTを上手に活用していくには、ChatGPTにできないことを正しく理解した上で、自分にとっての重要な使い道が何かを見極め、使い方を選び取って使っていくことこそが大切なのです。

第四章

「言語生成ＡＩ」が雇用に与える衝撃 〝人減らし〟こそ人工知能の本質である

井上智洋（経済学者、駒澤大学経済学部准教授）

特化型ＡＩと汎用ＡＩ

一部のＡＩ研究者は、ChatGPTを「汎用ＡＩ」の原初的なモデルと考えています。ＡＩは、「特化型ＡＩ」と「汎用ＡＩ」に大きく分けられます。特化型ＡＩとは、囲碁のＡＩなら囲碁、将棋のＡＩなら将棋、指紋認証のＡＩなら指紋認証と、それぞれの用途に特化したＡＩのことです。これまでＡＩと呼ばれてきたものはこの特化型ＡＩで、せいぜい１〜３つくらいの役割しか担えないものでした。

人間なら潜在的には囲碁も将棋もできるし、事務作業も他人とのコミュニケーションだってできます。さまざまなタスクを一人でこなすことができるわけで、汎用ＡＩは特化型ＡＩとは違い人間のように複数のタスクをこなせるようなＡＩのことを指しています。この汎用ＡＩを開発することが多くのＡＩ研究者にとっての夢であり、最終目標だったのです。

２０１５年頃から汎用ＡＩの世界的な開発競争が始まっていましたが、汎用ＡＩの実現化に向けてどう進めればよいのか、その決定打になるようなものは、なかなか見出せませんでした。

ChatGPTが汎用ＡＩの入り口となる

２０１６年頃のＡＩブームでは、画像に映っているものを識別する「画像認識」や人の声などを文字に変換する「音声認識」が期待を集めていました。言葉を扱うＡＩ技術である「自然言語処理」は、自動翻訳などに活用されていましたが、人と会話するチャットボットはイマイチの性能でした。

ところが、Googleが２０１７年に発表した「Transformer」は、「大規模言語モデル」（ＬＬＭ）発展の大きな契機となり、これ以降、Transformerを用いたＡＩの開発が次々に行われていきます。

ChatGPTの「ＧＰＴ」とは、Generative Pre-trained Transformerの略称ですが、このうちの「Ｔ」が、まさにGoogleのTransformerにあたります。その技術を駆使して、大量の文章データを事前学習したＡＩがＧＰＴなのです。２０１８年にはＡＩの研究・開発を行う当時非営利団体だったOpenAIがＧＰＴ－１をリリース、またTransformerの開発元のGoogleもＢＥＲＴというＡＩのモデルを発表しています。

ＬＬＭでは、パラメーター数（モデルのサイズ）や、データセットのサイズ、学習に使用される計算量が増えることで、より高い性能を発揮するという法則があります。これを「スケーリング則」と呼びますが、Transformerが登場して以降、パラメーター数が大きくなることで、人間の知性に近づいていくという考えすら現れました。

囲碁の特化型ＡＩである「アルファ碁」を開発したDeepMind（現Google DeepMind）社の研究開発者は、「汎用ＡＩへの道は開けた。あとは規模を大きくするだけだ」と語っていましたが、この「規模」とは、ＬＬＭのサイズであるパラメーター数を意味しています。

このパラメーター数は人間で言えば神経細胞と神経細胞の間をつないでいるシナプスの数に相当しており、人間のシナプスの数は１００兆ほどあるとされています。

２０２０年に公開されたＧＰＴ－３の場合、パラメーター数は１７５０億に及び、最新のＧＰＴ－４では、OpenAIは公表していませんが、一時期は人間と同じ１００兆くらいあるのではとも噂されました。ただ、実際にはそこまで高くはなく、１

兆～2兆ほどだろうというのが大方の見解です。

ＡＩの知性を判定するための基準として、「チューリングテスト」という方法があります。イギリスの数学者アラン・チューリングが考案した試験で、一般には「人間と機械が文字を使って会話をし、会話の相手が機械であることを人が見破ることができないのであれば、その機械は人と同等の知能を持つと見なせる」というものとして知られています。

ChatGPTはこのチューリングテストをクリアした状態、つまりChatGPTであることを隠して人間と会話をさせれば、相手はそれがＡＩだとは気づかない段階にまできていると言っていいでしょう。

２０２０年、海外の掲示板にＧＰＴ‐３に基づくＡＩが繰り返し投稿を行ったのですが、１週間以上、誰にもＡＩだと気づかれなかったという例もあります。逆に答えがきちんとしすぎて、疑わしく思われることもあるかもしれませんが、「普通の人のように話して」と最初にChatGPTに指示してから文章を生成すれば、調整することも可能です。まさしくChatGPTの登場によって、汎用ＡＩ開発の入り口に立ったと言えるのです。

２０１６年に私は、自著『人工知能と経済の未来　２０３０年雇用大崩壊』（文春新書）を刊行しましたが、この汎用ＡＩが登場することが社会や経済において一つのターニングポイントになるとみなし、それは２０３０年くらいだろうと同書では予想していました。しかし、Transformerの登場とChatGPTの普及は決定的で、汎用性があるＡＩだと感じさせるようなものになってきました。

実はＧＰＴ‐３までは、一定程度プログラミングの技術がなければ使えず、ユーザーフレンドリーなインターフェースがなかったため、あまり一般には話題にされていませんでした。そんななか、早くからＧＰＴに注目していたのは、本書にも登場されているメディアアーティストの落合陽一さんでした。彼は早くから、「２０２５年にシンギュラリティがくる」と、主張していました。

おそらく、多くの人は落合さんが何を言っているのかよくわかっていなかったと思いますが、落合さんはすでにＧＰＴに触れ、使っていたからこそ、そのように発言することができたのでしょう。

２０２２年11月にＧＰＴ－３・５が発表されて、現在のChatGPTのような形で、誰しもが簡単に使えるようになりました。これにより多くの人が、その性能の高さに触れるようになって、爆発的なブームとなったというわけです。

「生成ＡＩ」ブームの到来

ＡＩ開発が開始された１９５０～60年代の第１次ＡＩブーム、エキスパートシステム（専門分野の知識を有し、推論や判断ができるコンピュータシステム）が注目された１９８０年代の第２次ＡＩブーム、そしてインターネットなどのＩＴ化が進み、その上でディープラーニングが広まった２０００～10年代の第３次ＡＩブームに続いて、直近の生成ＡＩの登場は「第４次ＡＩブーム」と呼ばれ始めています。それは２０２２年頃から始まったと言ってよいでしょう。

ＧＰＴ－３・５が登場したのが２０２２年11月でしたが、画像生成ＡＩの「Stable Diffusion」や「Midjourney」なども２０２２年に登場しています。またChatGPTを開発したOpenAIも、画像生成ＡＩの「DALL・Ｅ ２」を同じく２０

22年に公開しています。

画像生成ＡＩについては、一応その存在は知られていると思いますが、日本で実際にそれを使ってみたという人は一部のマニアックな人たちに限られるのではないかと思います。一部の人間がヘビーユーザーとなってさまざまな生成画像がつくられ、その画像がネット上に公開されています。画像生成ＡＩでは風景や動物などさまざまな画像をつくることができますが、日本でとくに多いのは女性の画像です。大手出版社の集英社が、ＡＩが生成した女性のデジタル写真集の販売を中止したことも話題になりました。

これら生成ＡＩの特筆すべき点は、アイデアをすぐに形にしてくれるところです。私はこれを「アイデア即プロダクト」と呼んでいます。

たとえばChatGPTとMidjourneyなどを使えば、それなりの宣伝コピーと画像を載せた商品宣伝用ポスターを、ほんの1~2時間でつくることができます。今まで なら数日間かけて複数のクリエイターがやっていた作業を、わずか1時間で行うことができるのです。誰もがアイデアがあればすぐに形にすることができる時代が、すでに訪れているのです。

学生たちと一緒に生成ＡＩ作品を制作

私が教えている大学のゼミは経済学部ですから基本的には経済をテーマに扱っていますが、サブゼミという形でＡＩに関心のある学生を指導したりもしています。昨年（２０２２年）まではプログラミングについて講義していたのですが、今年は生成ＡＩを使っていかにアイデアを形にしていくかをテーマに、実際にさまざまなものを制作しています。生成ＡＩを使って画集や写真集をつくってみようというのも、その一環です。

たとえば、私は古代遺跡が好きなので、それを主題にした写真集をつくることにします。画像生成ＡＩの「Stable Diffusion」を使えば、ありそうで実際には存在しない架空の古代遺跡の画像をつくってくれますから、そうした画像をたくさんつくり写真集にしてみる、というようなことです。

写真集だけでなく、ChatGPTと画像生成ＡＩを使って絵本などもつくったりしてみました。ChatGPTに絵本の章立てをつくらせ、その中身の文章もChatGPTに書いてもらいます。その文章に合わせて、画像生成AIでふさわしい絵を描いてもらい、あとはその2つを編集して組み合わせる。本当に手軽に、絵本もつくることができるのです。

アイデアさえあれば、写真や絵の技術がなくてもすぐに形にすることができる。これが「アイデア即プロダクト」です。

AI時代のクリエイターに必要なのは、たとえば絵本をつくる際に「こういう内容の絵本」とテーマを考えて、生成AIに指示することです。なかには「大人向けの競馬をテーマにした絵本をつくって」とAIに指示して絵本を制作した、ユニークな発想を持った学生もいて、なかなか面白かったです。これからの時代は、いかに独創的な「アイデア」を出せるかが勝負になってくるだろうと思います。

もちろん、AIはさまざまな過去のデータの集積から学習して文章や画像を生成しますから、まったく真新しい表現というものは基本的にはできません。そのためAIよりも高い表現力を持っている人たちは、必ずしもAIを用いる必要はないでしょう。

人間は頭の中で多くの可能性を試し、人々が感動する新しい表現や作品を模索し発表してきました。たとえばゴッホやピカソといった優れた芸術家たちが行ってきた営為とは、そのようなものだったはずです。そういう歴史に名が残るくらい表現力が高い人間だったら、あまりＡＩの恩恵は受けないかもしれませんが、並のクリエイターがつくる程度のものであれば、すでにＡＩで十分につくれてしまうのです。

とはいえ、そうした過去の組み合わせのなかから、ＡＩによって偶然に面白いものが出てくるという可能性もまったくないとは言えません。

今後はＡＩを使っている人のセンスが問われることになると思います。よいアイデアがあれば、瞬時にたくさんの作品をつくることができるわけですから、そのなかからよりよいものを選択していくというセンスが問われることになるわけです。

ＡＩに与える指示文のことを「プロンプト」と呼びますが、プロンプトをうまく考えて、生成したものを選別できるようにする。そのような能力が、今後は必要とされるでしょう。

ChatGPTによる「AIの民主化」

２０１４年には、敵対的生成ネットワーク「ＧＡＮ」という生成ＡＩのモデルが発表されました。これは人間が物体の輪郭線を描くと勝手に色を塗ってくれたり、シマウマの写真を馬の写真に変えたりするほか、架空のアイドルやモデルをつくることも可能でした。ただ、ＧＡＮ自体はかなり込み入った技術でつくられており、うまく使いこなすにはプログラミングの知識が必要になるため、一部の人間にしか扱うことができなかったのです。

しかし、Midjourney や Stable Diffusion などの画像生成ＡＩが登場してきた２０２２年には、プログラミング言語や数学のような専門的知識を持っていなくても、普段、日常的に使う自然言語で操作ができるようになりました。ユーザーフレンドリーなインターフェースが出てきたことで、ＡＩは民主化されたと言えます。専門的な会社に頼む必要がなくなり、個人で簡単につくれるようになったのです。オープンソース化して無料であるという点も大きいのですが、ＡＩを操作するための専門的知識・専門的技術がほとんどいらないという点は、ＡＩの民主化にとってより重要でしょう。

Stable Diffusionによる写真画像の生成にしても、「馬に乗った宇宙飛行士」と自然言語（現在は英語にしか対応していませんが）を打ち込むだけで、すぐに架空の画像をつくることができます。「ゴッホが描いた東京タワー」とか「ダリが描いたポケモン」とか、そうした画像も一瞬でできてしまう。ちゃんとつくろうと思えば、設定やプロンプトに若干のコツがいるのですが、それ以上はなんの知識もいらないです。

私はこのような専門家でない個人が簡単に扱えるような技術を「ＤＩＹテクノロジー」と呼んでいます。大工などの専門家を呼んで家の修理をしてもらうのではなくて、自分で家の修理をするというようなもの。日曜大工と同じ感覚でＡＩを用いて画像や文章を生成できるようになったのです。

こうしたＡＩの民主化は非常に大きなターニングポイントだと思っています。誰もが手軽に生成ＡＩを使えるということは、逆に言えば、それまで専門家がやっていたことが商売にならなくなる可能性があるということです。

2030年までに汎用AIは実現する

『人工知能と経済の未来』を書いていた当時は、画像認識の分野でAIが拡大して世の中が激変するだろうと考えていました。ただし、画像認識は専門的な知識がないと扱えなかったので、それによってブルーカラーの仕事を代替するようになるのは、かなり先のことになると予測していました。高度な画像認識は、人間の目の代わりを果たしてくれます。なので、たとえば警備員を雇う代わりに、防犯カメラの映像を自動で分析して不審者を見つけることができるようになります。ただ、普及には時間がかかるというわけです。

しかし、Stable DiffusionやMidjourneyといった画像生成AI、そしてChatGPTのような高性能な言語生成AIが登場してきたことにより、イラストレーターのような画像制作をしている人たちに加えて、事務職など文章を用いて作業をしている人たちの職業が置き換わっていく可能性のほうが、濃厚となってきました。

たとえばホワイトカラーの仕事に従事する人たちは、日々さまざまな資料やドキュメントを作成しています。会議に使うプレゼン用の資料、パワーポイントなどでつくった発表用のスライドなどは、生成ＡＩで簡単につくれるようになってきました。

ChatGPTに付加的な機能をつけることができるプラグインを用いれば、生成した文章を一瞬で画像入りのわかりやすいスライドにしてくれます。文章作成、エクセルの表計算やグラフ作成、発表用のスライド資料など、すべてＡＩで賄うことができるのです。

そのうち、現在のホワイトカラーの平均的な労働者以上に上手に素早くこなしてくれるようになるでしょう。人に頼むよりＡＩにやってもらったほうがいいという状況です。ビジネスシーンにおける生成ＡＩは、非常に優秀なアシスタントというイメージかもしれません。頼めばなんでもやってくれる有能な部下であり、秘書であるような存在です。そう考えるとホワイトカラー限定になりますが、実質的にはもはや「シンギュラリティ」と言ってもよいのかもしれません。

２０２２年にＧＰＴ－３・５が登場してから、まだ1年も経っていないのにもかかわらず、その技術進歩は目覚ましいものになっています。このまま2～3年経ったらいったいどうなってしまうのか。「2025年にシンギュラリティが訪れる」と落合陽一さんが言っていたことは、そんなに大袈裟な話ではないと、私自身も思うようになりました。

『人工知能と経済の未来』では、2030年頃に汎用AIが登場すると予想していましたが、それは修正せざるを得ないでしょう。おそらく2025年から2030年の間のどこかで、汎用AIと呼べるものが出てくるだろうと思います。

ホワイトカラーの雇用はさらに減少

どこまでがアベノミクスの成果なのかという議論はおくとして、安倍政権下ではずっと有効求人倍率も上がり、多くの業種で人手不足が目立つようになりました。しかし、それでも一般事務の有効求人倍率は2023年7月現在0・32倍で、3人に1人しか採用されないような状況です。もともと事務職は人があぶれていると言えます。それはIT化やAI化（最近はまとめてDXと呼ぶ）によって、有効求人倍率が抑えられてきたという背景があります。

銀行などの金融機関がいい例だと思います。フィンテック（ファイナンスとテクノロジーを組み合わせた造語。金融サービスと情報技術が融合され新しいサービス形態を生んでいる）のブームは、２０１５年くらいからすでに始まっていますが、もともと数字のデータを扱っている金融（ファイナンス）とコンピュータは相性がいいわけです。数値処理はコンピュータがもっとも得意とする分野です。とくに銀行業では新規採用を抑える傾向にあります。

ただ銀行業で雇用が減っているという話は、これまではほかの職業分野にとって対岸の火事に過ぎませんでした。コンピュータが補えるのは数値データを処理するところだけで、言葉を使って文章をつくったりするのは、人間だけだとみんな無意識に思っていたのです。

実際に、ChatGPT以前にも、人の質問に答えてくれるようなチャットボットはありましたが大変ぎこちないものでした。ＥＣサイトへの問い合わせで、自動で質問に回答してくれるのですが、あらかじめ用意していた回答をそのまま表示しているという感じで、そこまでホワイトカラーの仕事を脅かすものではありませんでした。

そうして多くのホワイトカラーが自分たちの仕事とＡＩによる雇用喪失は関係ないと高《たか》を括っていたところに、ChatGPTが登場してきたのです。これからＥＣサイトの裏でＧＰＴのようなＬＬＭが稼働することが普通になれば、ほとんど人間と見分けがつかなくなります。ＡＩによって置き換わり得るとされる職業にテレフォンアポインターがありますが、まさに人間に取って代わる状況がもう目の前に来ていると言えるでしょう。

銀行業ではとくに与信の自動化が進みつつあります。たとえば、中国のアリババグループが始めた個人信用評価システム「芝麻信用」では、特定の個人にどれくらいの限度額と利率で融資ができるか、膨大な個人情報を集めて自動で評価してくれます。ＡＩはこうしたビッグデータを正確かつ高速に処理することは得意ですから、与信の自動化は日本でも加速していくことが考えられます。

営業職の仕事さえAIに代替されつつある

ホワイトカラーの人手をそこまで必要としなくなってくると、当然、今後は大幅な職種の移動が行われていくと考えられます。たとえば、今まで銀行のバックオフィスで仕事をしていた人たちが営業職に回される、といったようなことです。おそらく営業職は当面の間、ＡＩに完全に代替はされないでしょう。

ただ、Ｂ to Ｃ（企業対個人取引）の営業は、近年それほど多くはありません。昔は親戚のおばさんから保険を勧誘されたりするということがありましたが、今はほとんどなくなって、消費者が保険の窓口に行ったり、ネットで買ったりするようになってきています。一方、Ｂ to Ｂ（企業間取引）では、人と人の信頼関係が重視されます。ＡＩは人間の接待はできないので、そういう現場での営業努力というのは今のところ人間にしかできない仕事です。

しかし、Ｂ to Ｂの営業も部分的には置き換わっていくでしょう。たとえば、製造会社が部品を必要とした際、それを提供する部品会社と自動的にマッチングするＡＩサービスの導入が進められています。恋愛相手や結婚相手を探すマッチングアプリのようなもので、価格と目的が合った商品をＡＩが探してくれるのです。これが自動化できるのであれば、各企業の営業同士が会って商談しなくても、より効率的かつ確実に取引できることになります。

世界規模で激化するＡＩ開発競争

このように急速な技術進歩を見せるＡＩ開発ですが、ブレイクルーのきっかけをつくったOpenAIは、ＧＡＦＡＭのようなビッグテックではなく、あくまでも後発のベンチャー企業です。しかし、ビッグテックも参入してきており、もはや群雄割拠のＡＩ戦国時代に突入したと言えるでしょう。大手が勝つのか新興ベンチャーが勝つのか、もうわからない状態です。

Transformerを開発したGoogleもChatGPTに対抗して２０２３年３月に「Bard」という対話型ＡＩをリリースしましたし、旧FacebookのMeta社も同年７月にＬＬＭとして「Llama 2」の提供開始を発表しました。２０２３年中にリリース可能かどうかはわかりませんが、Appleも「AppleGPT」というＡＩツールを開発していることが報道されています。また、ChatGPTを開発したOpenAIに出資していたマイクロソフトは、その代表的なソフトウェア製品である「マイクロソフト365」(旧オフィス365)などにGPT-4を組み込んだ「マイクロソフト365コパイロット」の提供を発表しました。

続々とビッグテック企業が参入している状況で、AI業界では世界的な覇権争いが激化してきています。

またGAFAM以外でも、中国では百度《バイドゥ》をはじめとして数社がAI開発を進めていますし、日本ではサイバーエージェントがいち早くLLMをリリースしています。またソフトバンクも数百億円を出資して、子会社「SB Intuitions」を設立しAI開発に参入することを発表しています。

ChatGPT規模の言語生成AIをつくろうとすれば、何百億円もの予算がかかってきてしまうなか、「OpenCALM-7B」を手がけたサイバーエージェントは日本企業のなかでは、とても健闘していると思います。ただ、パラメーター数は68億と、GPT-3の1750億に比べればかなり規模が小さいものです。

このように世界的な競争が激化しているＡＩ開発ですが、現段階では日本企業はかなり厳しい立場にあると言えるでしょう。

また画像生成ＡＩにしても、ChatGPTにしても、日本では一定数のヘビーユーザー化する人たちはいますが、一般的に普及するかどうかは不透明です。

ChatGPTのアクセス数を見ると、アメリカ、インド、日本の順番でアクセス数が多く、人口比で考えれば日本はトップだろうと考えられます。しかし、利用者数のアンケート結果を見ると、日本は非常に少ない。つまり日本では、特定の人たちだけがたくさんアクセスをしていると解釈するのが妥当でしょう。

日本においてはマニアな人たちがヘビーユーザー化して、とことんハマっていくのに対して、一般的にはＩＴスキルはそこまで高くなく、ＡＩへの関心もアメリカほどには浸透していないというのが現状なのです。

他方で日本の老舗大手メーカーが、こうしたＬＬＭをベースとした言語生成ＡＩの開発に参入するという話は、現時点では聞こえてきません。２０１７年にGoogleのTransformerが出てきて、その翌年くらいにはこれが注目すべきアルゴリズムであるということは、すでに明らかになっていました。その時点で、いち早く研究を進めていればよかったのではと思います。

AI開発の二極化

AI開発においては、確かにGAFAMなど元からビッグデータを保有・管理しているビッグテックほど有利であると言えるわけですが、他方でそうした巨大な企業ほど社会的な影響力を考慮してオープンソース化には二の足を踏んできました。いち早くTransformerを開発したGoogleも毎年のように高性能の言語生成AIをリリースしてきましたが、倫理的な問題からユーザーフレンドリーなインターフェースで、誰しもが手軽に使える形のサービスは提供していませんでした。

その反面、OpenAIはベンチャーですからあまり世界的に知られておらず、社会的な影響もさほどありません。そういう新しい企業だからこそ、思い切った一手を打つことができたとも言えます。しかしそのOpenAIにしても、前述したようにマイクロソフトの出資があったからこそ急速に研究が進んだという背景があります。

やはり最先端のものを開発するには、どうしても予算規模は大きくならざるを得ません。AIの開発にはどうしても潤沢な予算が必要になるため、巨大資本による支援が現状は必要と言えるでしょう。

今後は人間の知能に匹敵するような最先端のAI開発を目指すビッグテックと、その成果を用いてより応用した技術を生み出すベンチャー企業とに分かれていくのかもしれません。

後者の場合、開発されたAIに対してさらに付加的な機能を開発していく道です。現在、ChatGPTのプラグイン（付加的な機能）やGPTを応用したサービスやアプリが続々と登場してきています。たとえば、GPTをベースにした英会話のレッスンをしてくれるAIアプリがあります。月額で結構な値段がするサービスではありますが、爆発的にユーザーを増やしているものもあります。

プラグインは、すでに2023年6月の時点で350種類以上、提供されています。OpenAIも「Code Interpreter」というプラグインを提供していますが、こうしたプラグインのサービスのほとんどはOpenAIとは関係のない、まったくの別会社が開発しています。それはすでにビジネスの形になっているのです。

つまり、必ずしもビッグテックがＡＩをつくって終わりというわけではなく、開発されたＡＩを用いてさまざまなサービスを提供する事業が、これからは続々と誕生していくわけです。日本企業がＡＩ開発で遅れを取ったとはいえ、ＡＩ周辺領域で新しいサービスを創出する可能性はありそうです。

新たな職業が生まれる可能性

ＡＩブームによって新たな職業が生まれる可能性もあります。ＡＩに直接関わる理系的な専門職の需要はもちろんのこと、文系的な仕事としては、たとえば「ＡＩソリューションプランナー」のような仕事が有望視されると思います。

これは各企業の要望や問題点を取りまとめて、企業に「こういうＡＩがあるといいのではないか」と提案するような人材です。ＡＩソリューションプランナーの提案を受けて、理工系の人間たちが新たなＡＩやサービスを開発していきます。つまり、開発者と企業の橋渡しをするような役割を担う人材です。

たとえば小売業の現場で、商品棚をＡＩのカメラで撮影して欠品があれば補充の必要を知らせるアラートを鳴らすというサービスがすでに存在していますが、そういうアイデアは現場の仕事がわからなければ出てきません。こうした現場の声をまとめてアイデアにし、開発者に提案していくＡＩソリューションプランナーのような仕事は重要になっていくはずです。

ただ問題なのは、こうした新しい仕事が出てきたとしてもそこまでの数の雇用創出につながるかと言えば、否だという点です。

人の仕事をＡＩに代替して余計に人員が必要となるのだったら、そもそもＡＩを導入する意味がありません。今までどおり人間が見回り、欠品を補充したほうがいいということになるでしょう。人減らしができるからＡＩを導入するわけであって、人減らしのできないＡＩに価値はありません。そこを綺麗事で取り繕うべきではないと思います。

AIイノベーションは新たな雇用創出をしにくい

これまではイノベーションによって新たな財やサービスを創出し、その都度、新しい雇用が創出されてきました。

18～19世紀の第一次産業革命では、蒸気機関が誕生し、紡績機や織機が開発されると、一旦は失業を恐れた一部の労働者たちが反発し、機械の打ちこわし運動、いわゆるラッダイト運動を巻き起こしました。しかし、こうした技術的失業は一時的かつ局所的なもので、安価な綿布がつくれるようになったことで消費需要が増大し、結果、新たな産業が生まれ雇用が拡大することになったのです。蒸気機関は鉄道の開発・発展にも寄与し、鉄道員や鉄道技師といった新しい雇用を創出しました。

このように従来のイノベーションは、新たな産業を生み、既存の産業を効率化させました。そして需要が増大しやがて飽和気味になると、それによっても技術的失業が発生する可能性がありますが、新しい産業に人々が「労働移動」することでそのような失業が解消されるというプロセスをたどってきたのです。その後の自動車の開発や洗濯機・掃除機といった電化製品の開発においても、同じような労働移動が起きました。

ところがAIにおいては新たな製品を開発したとしても、必ずしもそれが十分な雇用創出につながらない懸念があります。

ＡＩがもたらすのは、洗濯機や掃除機といった革新的な製品を生み出す「プロダクト・イノベーション」というよりは、製品やサービスを製造・流通する過程、および工程といったプロセスに革新をもたらす「プロセス・イノベーション」的な意味合いが強いものです。これまで手間がかかっていた資料や画像の作成を一瞬にして行えるようになることは、まさにプロセスがより効率化されることを意味しています。それは新たな雇用を生み出すよりも、雇用を減らしていく方向に重きが置かれるようになります。

もちろん、近年でもプロダクト・イノベーションが存在しないわけではありません。スマートフォンは、プロダクト・イノベーションの産物だと言えます。しかし、このプロダクト・イノベーションは洗濯機や掃除機のように、消費需要に対してマイナスの効果も及ぼします。

どういうことかというと、スマートフォンが普及すれば、その分だけ地図が売れなくなり、デジタルカメラも時計も売れなくなるからです。これらの機能はすべて、スマートフォン一台あれば事足りてしまいます。ほかのプロダクト・イノベーションを阻害するプロダクト・イノベーションになってしまうのです。

つまり、新しい産業が出てくる可能性は確かにありますが、かつての産業革命の頃とは違って、近年のイノベーションでは社会で失われた雇用を補って余りあるような新しい産業・雇用の創出には至らないケースが多いのです

ホワイトカラーに求められる能力

トランプ政権の誕生の背景には、アメリカにおける中間所得層の没落・貧困化という格差拡大があったということが知られています。しばしばトランプ政権支持者たちは、移民労働者の流入によって仕事が奪われたと主張し、移民たちを敵視する排外主義的な論調が拡大しましたが、実は仕事を奪った真の敵は移民ではなくＩＴ産業だったのです。

先述したようにITの雇用創出力は弱いため、それによって事務労働を奪われた人たちは、AmazonやGoogleのような先端的な会社の社員になるのではなく、清掃員や介護士といった、従来から存在するような職業に就くことになります。私はこれを「労働移動の逆流」と呼んでいます。高度経済成長期に農家の次男坊や三男坊が都会や工場地帯に出て行って、当時としては最先端だった洗濯機や掃除機を製造する会社などに就職したのとは対照的です。

それでは今後やってくるであろう本格的なAI社会において、ホワイトカラーの人たちはどうすればよいのでしょうか。

まず考えられるのは、AIを超える能力を身につけるということです。「アイデア即プロダクト」のように、AIはアイデアを形にする点では優れていますが大元のアイデアを生み出すことはできません。AIが思いつかないようなアイデアを生み出せる能力を身につけることが重要です。また、AIには生み出せないような新しい表現力を磨くという点も大事ですが、それはどうしても一握りの才能のある人間だけのものになってしまいがちではあります。

また今のところ、ＡＩには意思のようなものがありません。何か新しいプロジェクトを立ち上げるとか、起業するとか、そういうＡＩにはできない個人の意思をしっかり持てる人間になるということも大切です。

おそらく、これからは普通の会社でサラリーマンとして働くというようなスタイルは徐々に減っていくと思われます。これまで２００〜３００人くらいの規模で行ってきたことが、わずか２、３人程度で済む時代が到来しつつあるのです。そうなると、数人の仲間で新しく会社を立ち上げていくことが「常識」になってくるかもしれません。そんな時代に必要なのは、まさしく新しいことにチャレンジしていくベンチャー精神だろうと思います。

ホワイトカラーからブルーカラーへの転職

また、先ほど述べた「労働移動の逆流」を逆手にとって、ブルーカラーへの転職をより推進する方向もあり得ると思います。

そもそもＡＩの進化とは関係なしにブルーカラーの人手不足は深刻です。その反面、ブルーカラーはホワイトカラーに比べて所得も労働環境も含め、待遇は非常に悪い。「大卒はホワイトカラー」という固定観念が現状のブルーカラーの深刻な人手不足を生んでいるのだと思いますが、そこから変えていくしかないでしょう。

ホワイトカラーの失業は世界のさまざまな国が抱えている問題です。中国やトルコといった、かつての発展途上国から急速に経済成長を果たした国では、その分だけ大卒者の数が急激に増えました。しかし、ホワイトカラーの雇用がそこまで多くないため、若者を中心に失業者が増えています。

とりわけ中国は同時にホワイトカラー職域のIT化が日本以上に進んでいるため、新たな雇用創出も低く抑えられてしまっています。若者（16〜24歳）の失業率は、政府統計で20パーセント程度、潜在的には46・5パーセントに達するという調査結果もあります。ブルーカラーのほうが仕事はあるにもかかわらず、雇用条件が悪いので就きたがらないというのが現状なのです。

日本は少子化もあり、そこまでホワイトカラーの失業が多くはありません。ただ、あまりにもブルーカラーの人手が足りていない点では、中国などと似たような問題を抱えています。

よりブルーカラーの人材を増やすためには、ブルーカラー自体のイメージを変えていかなければなりません。当然、賃金を増やす必要もありますし、そうした肉体労働に従事する人たちに社会全体が、もっと敬意を示すようになっていかなければならないでしょう。

B《ベーシック》I《インカム》とAIをセットで導入する

とはいえ、いずれはブルーカラーの仕事も機械に置き換えられ全体的に雇用は減少していくだろうと思います。現在は過渡的ですから、ホワイトカラーからブルーカラーへの移動は一時的な解決策としてはありだと思います。しかし、こうした労働移動が必ずしも安定的に進むわけではないと予想されます。

AI化・IT化によってどうしても不安定になる雇用状況に対して、究極的な政策はベーシックインカム（政府が性別・年齢・所得水準に関係なく、全国民に対して最低限の生活費を一律に給付する社会保障制度）を導入することだろうと私は考えています。

現在は生産コストの上昇によってインフレが起きているような状況です。そのため、お金をばら撒きすぎればハイパーインフレの懸念もあります。しかし、一人当たり月額7万円程度の給付ならば極度のインフレは発生しないだろうと私は考えています。差し当たりの目標は7万円くらいとして、まずは3万円から始めて、少しずつインフレ率を見ながら調整していけばよいと思います。

ただ、その前に社会保険料をなくすのも一つの手でしょう。現在の社会保障制度の仕組みは戦時中にイギリスで考えられたものが基礎になっていますが、イギリスの経済学者ジョン・メイナード・ケインズなども言及しているように、そもそも社会保険料よりも税金で賄うほうが望ましいという意見もあります。理論的にはすべて税金でよいはずなのですが、政府からしてみれば、社会保険料にしたほうが徴収しやすいのです。

保険料というのはある種の人頭税のようなもので、収入のない人でも支払わなければならず、低所得であればあるほど負担は大きくなります。ですから、まず保険料を軽減するか、なくしてすべて税金で賄うようにするか、そのどちらかを行う議論をすることが、ベーシックインカム導入よりも先にやるべきことなのかもしれません。

デフレ・マインドからの脱却

ChatGPTの登場で加速するAIの技術進歩に直面し、日本はどうしていくべきか考えた時、私はかつて「科学技術立国」を名乗っていた頃のように、AIそのものに対しても基礎研究をもっとやったほうがよいと思います。

かつての日本は半導体の世界的シェアでも5割を占めていました。世界の半導体の半分を日本だけで賄っていたのです。しかし1990年代以降、半導体のシェアは年々低下していき、経済産業省が作成した『半導体戦略（概略）』という資料では、2030年には世界における日本企業の半導体シェアはほぼゼロになるという予測が示されています。

日本の半導体産業凋落の最初のきっかけは、1986年の日米半導体協定で日本企業が不利になったからですが、より大きな原因は「失われた30年」と呼ばれた長いデフレ不況によって、日本全体が「デフレ・マインド」に陥っているからだと思います。デフレ不況のせいで、人々が思い切りのよい判断ができなくなっているのです。

「大規模な予算をかけて失敗したらまずい」と守りに入ってしまうせいで、新しい革新的な技術開発にチャレンジすることができなくなっていました。AI開発においても、半導体においても、世界との競争に出遅れているのは、そのためだろうと思います。

2016年に『人工知能と経済の未来』を刊行した当時、私は「AIが次の時代の鍵を握る技術だから、研究開発に投資しないとダメだ」と散々、言及しました。日本が科学技術立国として、また世界のトップに立つためのチャンスだったはずです。ところが周囲は懐疑的な意見ばかりでした。

日本は1980年代の第2次AIブームの頃、当時の通商産業省が540億円もの予算を注ぎ込んで巨大プロジェクト「第五世代コンピュータ」を進めたものの、実用的な成果を生み出せず失敗に終わったという苦い経験があります。

この記憶が強く残っている世代は、「実用的なAIなんて難しくてできるわけがない」と、失敗の前例からAI研究開発に対しては否定的な傾向があります。そのため研究や開発に予算を出すことには消極的で、世界のAI開発競争にも遅れを取ってしまったのです。このような失敗のトラウマとデフレ・マインドの二つがAI後進国になった原因だというわけです。

今後、日本が生き残る鍵は、もう一度、科学技術立国を目指すことだと私は思います。AIを中心に、量子コンピュータやバイオテクノロジー、ブロックチェーンといった先端科学技術に秀でた国として生きていく以外に、技術革新の目覚ましい21世紀を生き抜く道はないでしょう。

現在、とくに地方の国立大学では「運営費交付金」（基礎的な経費）が下げられ研究室の維持すらできないという問題を抱えています。先日も、国立科学博物館が標本・資料の収集や保管のためにクラウドファンディングを募ったことが話題になりました。これは一般の人にもわかりやすい例ですが、国立科学博物館だけでなく、地方の国立大学も財政的に逼迫しています。各大学や研究機関の自助努力だけでは当然、限界があります。他方で、東京大学や京都大学など中核的な国立大学には潤沢な資金が集まっています。結局これは、国立大学の独立行政法人化に伴い選択と集中が行われた結果だろうと思います。

それの影響は如実に研究実績の低下として現れています。研究内容が注目され、数多く引用された論文を「注目論文」と呼びますが、日本の注目論文数の世界ランキングは、現在過去最低の13位です。インドには随分前から抜かれており、韓国やスペイン、イランよりもランキングは下です。

経済でも研究でも日本はどんどん衰退の一途をたどっています。相当な危機感を持つべきです。だからこそ、新しいことに挑戦するためにも、国をあげてＡＩ技術の開発に取り組む必要があるのではないでしょうか。

第五章

「誰がどう使うか」が一番大事 本当に怖いのは人間

深津貴之（インタラクション・デザイナー）

「確率的にあり得る文字」をつなげるAI

僕は長らくIT業界に身を置いていますが、ChatGPTに限らず生成AI全般が、今後なくてはならないツールの一つになっていくと確信しています。もし、「まだ触ったことがない」「利用に不安を覚えている」という方は、過去を振り返ってみてください。コンピュータやスマートフォンが登場し、ビジネスや生活をどのように変えていったか。スマホが普及していく中で、いわゆる「ガラケー」を頑なに使い続けた人は、とても不便な思いをしていたはずです。ChatGPTを使いこなせない人も今後、同じようになる可能性が高いかもしれません。

実際のところ、ChatGPTの操作はとても簡単で、誰でも直感的に使うことができます。どうか、まずは食わず嫌いをせずに是非触ってみてください。時代に取り残されないためには「新しいものに触れる」とか「とりあえず試してみる」という興味関心と行動力が大切です。逆にそれがなければ、ITではスタート地点にも立てないと言えます。

使い方としてはアプリをダウンロードして、質問を打ち込むだけ。どうでしょうか。丁寧な答えが返ってきたかと思います（できれば有料版で試してみましょう、無料版と有料版は性能が段違いです）。こうやって質問を投げかけたり質問の仕方を工夫したりすることで、ChatGPTは本当にさまざまな用途で使うことができるのです。

さて、この誰でもとっつきやすい生成AI・ChatGPTですが、活用にあたっての注意点も、もちろんあります。それを理解するために、まずは「ChatGPTとはどういうものか」という根本原理を覚えておきましょう。

この根本原理とは、手前の文に「確率的にありそうな続きの文字」を、どんどんつなげていくAIだということです（実際には、品質向上のため、より複雑な処理も行っています）。

この根本原理を知っていれば、後に触れるChatGPTの得意なことや苦手なこと、「嘘をつく」といった特徴についても、すべて理屈で理解しやすくなります。

ChatGPTはユーザーが入力した文章に対して、大量のデータをもとにした学習から、次に来るであろう文字を予測して生成します。入力された文章に対して考えたり、意思を持って回答したりするものではありません。

例えば、「昔々」というフレーズを入力すると、最も確率が高いであろう次の文は「あるところに」だとします。「昔々、あるところに」という文章ならば、それに続く最も確率が高いであろう次の文は「おじいさんとおばあさんが」。さらに続くのは「暮らしていました」となるでしょう。「おじいさんとおばあさんが」の代わりに「ダレイオス三世とアレクサンダー大王が」は続かないし、「暮らしていました」ではなく「天下を争っていました」とはならないでしょう。このように、確率で言葉をつなげていくのがChatGPTなのです。

厳密に言うと、ChatGPTは会話形式での応答が自然になるようにチューニングされています。また、不適切な回答をしないように教育されてもいます。いずれにせよ、ユーザーが理解すべき最も重要なことは「ChatGPTは手前の文に、確率的にありそうな続きの文字をつなげているだけであり、真の意味での知性は持っていない」ということ。

会話をしているように見えても、文に確率的に続きそうな文をつなげているだけです。その結果、なんだか人間よりも賢そうな文章を生成することができてしまっているのです。

嘘をつく、知ったかぶりをする理由

この根本原理への理解を持つことで、ChatGPTの他の特徴もどんどん理解しやすくなります。例えばChatGPTに意見や知識を求めても、前述の特徴から導ける通り、通り一遍で平凡な回答が生成されやすいものです。極端な知識やアイデアは出してくれませんから、ただ「企画のタイトル案をください」みたいに尋ねても、無難な案ばかり並ぶことになります。

また手前の文に対する確率的な続きにすぎないので、その内容が真実であるという保証はありません。最も高確率に文字がつながると判断しただけですから、出力された内容が平然と嘘をつくようなものだったり、まったくの知ったかぶりだったりします。

またもう一つの特徴として、ChatGPTは世に出回ってない情報が学習範囲に含まれていません。だから「隣町に住んでいる山田さんの家族構成」といったことを聞いても答えられないのです。

加えて注意点として、インターネット上のテキストを学習元にしているため、多くの人が持つ偏見や社会的なバイアスを「確率的に高い情報」だと処理するリスクがあります。例えば、「結婚式」について聞くと、「西欧式」で「男女間で」といった、多数派に偏った知識を前提にして回答する傾向があるかもしれません。こういったことには注意が必要です。

これらのChatGPTの特徴やよくあるケースについても、「手前の文に、確率的にありそうな続きの文字を、どんどんつなげていく」という根本原理を知っていれば、それなりに理屈で導けると思います。

より的確な答えを導く質問のコツ

根本原理から考えると、自分が欲しい回答を最も高い確率で得るために「手前の文」を工夫することが有効とも言えます。つまり、質問の仕方を工夫することで、より具体的かつ望ましい回答に近づけることができるわけです。

例えば、「リンゴについて教えて」とだけ質問すると「りんごは、果物の一種で、世界中で広く栽培されている人気のある果物です。りんごは甘くてシャキシャキした食感が特徴で、さまざまな種類が存在します」といった説明と、栄養価や種類に関しての一般的な回答が返ってきます（GPT－3・5とGPT－4で内容の充実度は異なりますが、どちらも辞書で調べたような答えが出力されました）。

しかし、一口に「リンゴ」といっても、さまざまな文脈があります。果物としてのリンゴ。アイザック・ニュートンが「万有引力の法則」のヒントを得たリンゴ。聖書におけるリンゴ。それからアップルコンピュータ、アップル・レコードといった企業。椎名林檎やリンゴ・スターといった人物名などなどです。こうした可能性を考慮せず、単に「確率的に高そう」な回答として、ChatGPTは果物としてのリンゴについての説明をしたわけです。

そこで、質問の仕方を少し変えてみます。「宗教におけるリンゴの位置付けとは」

と質問するとどうでしょう？　この前文がつくと、確率的に高い答えは変化します。この文章にwikipedia的なフルーツが続くのは不自然ですね。逆に、アダムとイブの話が続くのは自然（確率が高い）と想定できます。

このように、質問の仕方や文脈を工夫することで、ChatGPTからより質の高い答えを得ることができます。僕はこの考え方を「可能性空間を限定する」と呼んでいます。リンゴ全般の可能性空間から、手前の言葉などを工夫して「自分にとって欲しいリンゴ」についての答えだけが出るような可能性空間を定義する。つまり、他の可能性がなるべく排除されるような質問を考えることが、ChatGPTをうまく使うコツの一つと言えます。

AIの「可能性空間」を限定する

このコツについて、やや抽象的な観点からも説明します。AIの挙動は、X次元の空間の中で統計処理されています。この何千次元とある空間は、さまざまな具材によって作られた、ある種の「シチュー」のようになっていて、そのシチューから情報をすくい出して出力する構造になっています。ただ、このシチューは闇鍋のようになっていて、中では情報のごった煮が起きています。そこで、自分が欲しい具材だけを狙ってすくいとれるようにして、欲しい情報の入ったシチューを得ようとすることが、「可能性空間を限定する」ということです。

あるいは、「ダビデ像」で知られる、ルネサンス期のイタリアの彫刻家であるミケランジェロ・ブオナローティが語ったとされる、彫刻に関する興味深い考えも参考になります。彼は「まだ彫られていない大理石は、偉大な芸術家が考え得るすべての形状を持っている」と話しました。「私は大理石の中に天使を見た。そして天使を自由にするために彫ったのだ」というような言葉が続くのですが、ミケランジェロの創作とは、彫られていない大理石（無限の可能性）から作りたい「特定の形」を削り出すことでした。これも「可能性空間を限定する」という考え方と、よく似ています。

補足ですが、ここで言う「可能性空間」は僕の造語で、公式な言葉ではありません。機械学習用語の「潜在空間」とも意味合いが異なることを注記しておきます。

ChatGPTの根本原理とうまく使うコツとして「可能性空間の限定」を知ると、よりよく働いてもらうための「指示文」の作り方についても理解しやすくなるでしょう。この指示文は「プロンプト」と呼ばれています。プロンプトを工夫することによって、より高い確度での結果が得られるようになります。

例えば、最初に課題に対するベストプラクティスを尋ね、その後にそのベストプラクティスを実施するように指示すると、回答の精度が大幅に向上します。

具体的には、まず「原稿のタイトルを書くときに最も大事なことを五つ教えてください」とChatGPTに尋ねると、五つのポイントを教えてくれます。次に「それらのポイントを大切にして、原稿のタイトルを教えてください」と指示すると、ただ出力をさせたときよりも優れたタイトルを提案してくれるでしょう（手前にベストプラクティスを書かれた文・会話の続きには、そのベストプラクティスが加味された文が続く可能性が高そうですよね）。

とはいえ、このプロンプトではまだざっくりとしていますね。どのような内容の原稿なのか、どういった読者を想定しているのかといったように、先ほどの「可能性空間の限定」を意識してさらに工夫してみると、より良い提案に出会いやすくなると思います。

生成AIの「悪魔のシナリオ」を検証する

さてここまで、ざっくりと僕が普段ChatGPTの勉強会などで話している内容を紹介しました。

結局のところ、ChatGPTはマッチや鉛筆のような日用品と同じ種類のもの、つまりツールでしかありません。本書のタイトルを否定してしまうようですが、神とか悪魔といったレイヤーのものではなく、あくまでツール・道具です。

なので使う人次第で、良いことを100倍にもすれば悪いことを100倍にも増幅します。正しい使い方を知らず、その性質を学ばないままに不適切な場面で使ってしまうと、予期せぬ結果を招いてしまうかもしれません。同様に、使わないまま禁止をすれば、あらゆる可能性を見過ごしてしまうでしょう。あるいは、想定しないトラブルが生まれるかもしれません。

試しに悪いことを100倍にした生成AIの「悪魔のシナリオ」を想像してみましょう。

例えば、ある国に独裁者がいるとします。その人が、自らの独裁を正とするAIをチューニングし、国家の支配を行ったらどうなるでしょうか？　現在の生成AIは、間違った情報やハルシネーション（いい加減な返答）が課題ですが、そもそも意図的に危険な価値観や情報だけでAIを作ってしまえば、AIの正確性も何もありません。また現在のChatGPTには人間の指示なしに自ら通信する機能はありませんが、いずれ通信機能が実装されたとき、そういったAIが自由にネットにつながる未来も否定できないのです。まるでSFみたいな話ですが、現実にそんなことが起こり得る時代です。

また、人生を揺るがすような重要度の高い局面においては、ChatGPTを使うことに慎重になるべきです。それは例えば、健康や財産、幸福に関わるような局面です。具体的に言えば、医療におけるトリアージ（重傷度や治療緊急度に応じて、傷病者の治療優先順位を決めること）や裁判の判決、生活保護の申請・審査など。それらは非常に複合的で繊細な判断を要するため、確率で答えるブラックボックスであるChatGPTなどで、安直に答えを出すべきではありません。

ＡＩは学習データやアルゴリズムによって動作の結果が異なりますし、さらにこういった利用例が突き進めば「監視社会」へとつながるリスクも無視できません。

ＡＩが適切に利用されず、多くの市民にとって不利益を与えたり、一部の人間だけが得をしたりするような状況が続くとしたら、かつて産業革命期にイギリスの労働者が機械を打ち壊した「ラッダイト運動」のような反発が起きるかもしれません。「ＡＩが人間の仕事や自由を奪うなら、排除してしまえ」という市民感情につながる危険性は、十分に想像できるはずです。

こういった誤った運用、危険な運用が発生しないようにするためには、利用者だけでなく開発者、ビジネスパーソン、行政関係者までさまざまなレイヤーの人が、ＡＩに自分で触って理解を深める必要があると思います。

本当に大切なのは「どうAIを使うか？」

ネガティブな話ばかりをしてしまいましたが、もちろん、前述したようにChatGPTには良いことを100倍にする力もあります。僕はAIなどを含むテクノロジーこそ、人々の間にあるギャップを埋める役割を果たしてくれると期待しています。そのギャップとは「英雄や超人といった特別な存在」と「普通の人々、弱い人々」との間にある溝のことです。テクノロジーの普及を推し進めることで、人々はより平等で幸せになれると信じています。誰もがAIを使い、そしてAIが十分に進化した世界では、人間の能力の個体差など意味がなくなります。貧富の差の根源にならないよう注意をしつつですが、AIを良いことに役立てるため、その正の側面に目を向けていく必要があります。

周知の通り、業務効率化や工数削減など、AI利用のメリットは枚挙にいとまがありません。AIが普及すれば、企業においては人員不足や海外進出、自治体においては市民の高齢化問題など、さまざまな課題が解決していくでしょう。

そのために僕らIT業界の人間がやるべきことは、人々がAIに「触れてみたい」「楽しそう」と思えるようなサービスを提供することだと考えています。現在はそこがやや、「精度の高さやデータ量の面で、どうすごいか」にフォーカスしすぎているかもしれません。本当に大切なのは「どうAIを使うか?」なのです。

このような発想から、株式会社バスキュール代表の朴正義さんと共同で立ち上げたAIデザインラボ「SaySay」では、さまざまな実験をしています。「SaySay」ではAIのサービス面におけるR&D(研究開発)を重視し、その楽しい使い方や新しい取り組みを模索しています。「AIで生まれる新しいビジネスとは何か」「最適なインターフェースとはどういったものか」「作ったAIモデルをいかに活用すべきか」といった問いに答えるような実験を、たくさん提案できればよいと思っています。

実験例の一つとして、ユーザーフレンドリーなAIインターフェースの模索というミッションのもと、誰でも気軽に試せるチャットサービス「AI孔明」を公開しています。X（旧Twitter）上で、「AI孔明」アカウント（@AI_Koumei）にメンションで問いかけると、三国時代に天才軍師と呼ばれた諸葛亮孔明のような言葉遣いや内容で答えてくれる、という愉快なサービスです。これは、ChatGPT（GPT-4）に失言や不謹慎なことを言わせない技術の実証実験です。

他にも、声を録音するだけで自分だけのAI音声モデルを作れる「OnSay.ai」というサービスを作りました。「AI時代には音声がより重要なインターフェースになる」というビジョンのもと、誰もが簡単に自分のAI音声モデルを作成できるサービスの技術検証です。音声AIは、まだ社会に公開するには課題が多いため、まずは玩具として作るところから始めています。

このように、AIと人間のより良い関係性づくりを考えていくのが、今現在、僕らに課せられた使命と言っていいでしょう。

いち早く業務に取り入れた神奈川県横須賀市

地方自治体でもChatGPTの利活用に本腰を入れているところがあります。その一つが、僕がＡＩ戦略アドバイザーを務めている神奈川県横須賀市です（ちなみに、僕は横須賀市の出身なのです！）。

横須賀市は上地克明市長の強い意志のもと、人口減少や少子高齢化、山林活用といった地方自治体ならではの課題にテクノロジーで対処しようとしています。

上地市長からChatGPT活用の指令を受けた職員は、２０２３年４月に「経営企画部デジタル・ガバメント推進室」内に職員８名からなる検討チームを組成。市長の指示から実に5日後のことだったといいます。その２週間後の４月18日には、導入実験の開始を公式発表しました。「行政らしからぬ」といえるスピードの速さは、国内だけでなく、海外のメディアも驚かせたようです。

利活用の成果も出ています。２０２３年6月に公表したニュースリリースでは、約半数の職員がChatGPTを実際に活用し、最終アンケート回答者のうちの約8割の職員が「仕事の効率が上がる」「利用を継続したい」と回答。利用者ヒアリングの結果としても、業務短縮効果が認められたと言います。

僕がＡＩ戦略アドバイザーとして何をしているか？　というと、主には横須賀市の職員が生成ＡＩを理解し、使いこなせるよう支援することです。ＡＩのパフォーマンスが政策立案や実務に生かされ、生産性が上がったり成果が出たりするようアドバイスをしたり、基本の考え方や最新の使い方を学ぶためのカリキュラムを組んで勉強会を開いたりしています。他にも協業できる企業を推薦したりもします。横須賀市の職員さんたちは生成ＡＩの活用にとても前向きで、自主参加の勉強会に毎回数百人が集まるほど。強い積極性を感じます。

今後はよりよく使うための市役所内コンテストの実施や、横須賀市で培ったノウハウを他の自治体にも提供するなど、さまざまな取り組みを推進していく予定です。

実際に２０２３年８月には、ChatGPTを活用した「他自治体向け問い合わせ応対ボット」を開発、運用を開始しました。これは自治体では初の取り組みです。横須賀市のChatGPTの取り組みに関するデータや、他自治体からの問い合わせデータを、データベースとして整備することで、ChatGPTの機能だけでは回答が難しかった内容にも対応できるようにしたものです。

例えば、「横須賀市でのChatGPTの取り組み」といった特定領域の質問にも回答してくれます。横須賀市は、すでに80を超える自治体からChatGPTによる問い合わせを受けているという背景があり、このチャットサービスで他の自治体からのChatGPT関連の問い合わせに自動で答えられるようにして、情報共有の円滑化や、職員の対応時間と業務負担の軽減を図りたい考えです。将来的にはこの技術を、市民向けを含めたさまざまな問い合わせ応対サービスへ展開することを視野に入れ、運用を行っています。前述のＡＩ孔明のような失言をしないＡＩの実験も、しっかりノウハウがたまれば、実際の行政運用ＡＩなどで役に立つかもしれません。

世代交代がAI普及を推し進める

前述の横須賀市などは、ＡＩ活用にとても前向きです。でも食わず嫌いで、なかなか導入に踏み切れない組織も実際には多いのだろうと推察します。ですから、仮に「ＡＩ普及を一気に推進するには？」と聞かれたら……少し冷酷な回答かもしれませんが、僕は「世代交代」と答えます。勉強を嫌がる方に無理やり使わせるより、すでに知識を持っている若い世代に主導権を渡すほうが、正直手っ取り早いからです。

あるいは、法律で縛るという方法もあります。この観点で一歩進んでいるのは、教育の分野です。2023年7月には、文部科学省が「初等中等教育段階における生成AIの利用に関する暫定的なガイドライン」を発表。それにより、教育現場ではすでに生成AIをいかに取り入れるか、そのために必要なこととは何かといった議論が進んでいます。ガイドラインでは、生成AIの仕組みの理解、学びに生かす方法、将来的に使いこなすための力を育てることの重要性が強調されています。

これは極端なパターンですが、将来的には必修科目の一つに「生成AI」が加わり、大学入学共通テストで一定の点数を得なければ、大学へ進学できないといった形になるかもしれません。生まれた頃から息を吸うようにChatGPTを使う層が増えてくると、社会の様相も変わっていくのではないでしょうか。

他にも、専門的なAIに運転免許のような資格制度を設けることもあり得るでしょう。例えば、危険物や薬物などの危険性の高い領域の受け答えができるAIには、相応の利用資格を必須とするのです。そうすれば犯罪防止において、一定の効果が期待できると思います。もちろん、規制を強化しても、悪意を持った人はそれを避けて利用するでしょうが。

英語力のなさが日本最大のボトルネック

日本と生成ＡＩの関わり方は、海外と比べると周回遅れの状態です。そして日本でこれほど導入が進まないのは、日本人が英語が苦手なことも一因ではないかと思います。

ChatGPTが日本語を話せても、ChatGPTに関する最新の文献はほとんどが英語です。必然、日本のプレイヤーは一歩遅れることになりがちです。また英語をメインに学習したChatGPTは、日本語より英語のほうが性能が良くコストも安い傾向にあります。

今後、誰もがＡＩを使って対話をするような時代になると、英語を扱えないことが大きな格差につながる可能性があります。誰かがとても優れた高性能な翻訳ＡＩを開発してくれたおかげで、言語を問わずに生成ＡＩを使える未来もあり得るかもしれませんが、それでも翻訳を挟みながらの社会活動はスピードが削がれます。その分だけ生産性が減ることを考慮すると、やはり日本人にとって英語の習得は乗り越えなければいけない壁になるのです。

この流れで、日本のＡＩ開発に関する悲観的なシナリオも検証してみましょう。実は日本語データセットの量や市場のサイズは、英語圏に比べて劣っています。そのため日本語ＡＩと英語ＡＩとの間に極端な性能差が生じ、それが国力に大きな差を生む可能性もあると思います。つまり、根本的な話者人口と投じられる予算の違いで、大きな性能差が生まれてしまうということです。これもＡＩが多言語対応型に進化すれば、日本語のデータセットの少なさは問題にならなくなるかもしれませんが、これは蓋を開けてみなければわかりません。

他にも海外関連の話で言うと、現状の流れで海外製のＡＩ依存が続けば、経済活動の一部が「ＡＩ利用料」として国外へ流れるリスクもあります。現状で近しいイメージは、アップルのiPhoneとApp Storeです。iPhoneで使うアプリを販売するには、言語を問わず基本的にApp Storeという専用のアプリストアを経由してダウンロードする必要があり、有料アプリの購入やアプリ内課金には、それぞれ所定の手数料を支払わなくてはなりません。

個人的には、そういったクローズドなＡＩよりも、オープンソース（ソースコードを無償で公開、再使用、改変、再配布、商用利用することが可能な形式）のＡＩが普及するほうが、日本のハンディキャップはなくなると感じています。クローズドなＡＩだと利益も一社独占される可能性がありますが、オープンソースならば、そういった構造がそもそも作れないからです。

このように懸念点を挙げればキリがないですが、リスクを完全に排除するまで新しい技術を導入したがらないという日本の傾向は、テクノロジー主導の時代に適っていません。ことＡＩに関しては、リスクなんかいくらでも想定できてしまうものです。「ＡＩが嘘をつかないようになるまで待つ」といった完璧な状態で提供されることを望むのではなく、「ＡＩは嘘をつく」という前提で、それでも問題が起きないように運用する方法を考えるべきです。

結局、AIは「使う人間」次第

僕がサービスを設計するときに大切にしている独自の法則が、いくつかあります。そのうちの一つが「耐雑性」です。「雑に扱われる」ということへの柔軟性のような考え方です。

サービスを正しく理解したときにだけベストパフォーマンスが出るツールは、基本的にはプロフェッショナル用であり、一般市民用としては流行りません。市民に広まるツールとは、初めて触れる人の理解が、うろ覚えで、雑で、間違えながらやっても、なんとなく良い成果が出るものです。これが良いプロダクトと言えると思います。

言い換えると、ベストユーザーがベストタイミングで、ベストチューニングで120点を出せるツールよりも、間違った運用をしても80点を取れるようなツールのほうが、プロダクトの生存率は高いということです。

ChatGPTにも100点を求めるのではなく、ChatGPTに人間がしっかりと関与して、80点から上積みして100点に近づけていくことが大切なのです。

そもそも、「AIは嘘をつく」と言いますが、人間同士のコミュニケーションのほうが、よっぽど言葉や応答を間違えたり、いい加減なことを言っていたりするかもしれません。雑に扱っても良い成果が出るように、AIを適切に運用するための仕組みを作ることが、成功への一つの道だと思います。

AIの回答や生成物を鵜呑《うの》みにしないこと。AIの答えは参考の一つとして捉え、最終的な判断は自分で下すこと。これが大切です。

1917年、現代美術家のマルセル・デュシャンが、男性用小便器を横に倒し、署名をしただけの『泉』という作品を展示して世間を驚かせました。デュシャンは、「何をやって何をやらないか」を決めたり、自分の望む表現をどういう形で実行するかを決めたりと、「決める」ということが芸術の本質だと考えるアーティストでした。これはまさに、AI時代の人々の心を支える言葉の一つだと僕は思っています。

AIがネガティブな使い方をされる前に、今すぐにでもポジティブなノウハウをためていかなければ、将来的に防衛の余地すら残りません。正しい理解と正しい方法で、ツールとして生成ＡＩを使い始めることが大切です。すべては「決める」人間次第なのです。

本書を通じて投げかけられた問いかけに答えるならば、「ChatGPTは神か悪魔か」という議論はナンセンスで、「ChatGPTを使って、神か悪魔になる人間が生まれるかもね」となるでしょうか。結局は人次第、使い方次第なのです。

第六章
カウンセリングを受けるなら精神科医よりChatGPTのほうが100倍マシ

和田秀樹（精神科医、立命館大学生命科学部特任教授）

AI時代に英語教育は不要

ＡＩが社会をどう変えるのか、という視点で一つ確実に言えるのは、「今後ＡＩはもっともっと進歩する」ということです。ところが今行われている議論では、ＡＩの進歩についてはほとんど考慮されず、現状の生成ＡＩの性能をベースにした話が多いように見えます。

ChatGPTに「和田秀樹ってどんな人?」と聞いた際に、出身地さえ間違えるというのは、現時点での入力情報や性能の話であり、これからは間違いなく進歩するはずです。

「ＡＩは英語などの語学教育に向いている」と言われます。ですが、児童や生徒が英語を学ぶ際にＡＩをどうやってうまく活用するかという話をしても、そもそもの話として、ＡＩが進歩するこれからの時代に外国語を学ぶことは必要なのでしょうか。私は「翻訳ＡＩがこれから格段に進歩すれば、英語教育は不要になる」と考えています。日常会話のレベルで言えば、目の前にいる人とは翻訳機械を通さずにしゃべったほうが仲良くなることはできるでしょうから、そのレベルでの勉強はあってもいいですが、その程度の話です。実際のビジネスの場で商談をするときなどは、中途半端な英語力のせいで損をすることは十分にあり得ます。

「ミスター円」の異名で知られた元大蔵官僚の榊原英資さんは、かつて日本で一番英語が堪能な官僚とまで言われていた人で、入省後に留学したミシガン大学では、経済学の博士号を取った秀才です（もちろん英語で）。

しかしその榊原さんでさえ、外国人と政治的折衝をする際に「英語で話すときには、日本語で話すときと比べて思考力が3分の1に落ちる」と仰っていました。つまり、日本語で話している内容を英語で話そうとした場合、いくら英語が堪能だったとしても日本語ネイティブの人の思考力はどうしても落ちてしまうというのです。榊原さんのような人の思考力が3分の1に落ちるのならば、一般の人だと10分の1程度にまで落ち込んでしまう可能性があることは想像に難くありません。

英語が話せることを相手方へのポーズとするためだけに、10分の1の思考力で商談をするのではまったく意味がないですし、むしろマイナスにもなりかねない。それよりはしっかりと思考をするためにも日本語で話し、確実な翻訳をしてくれるA

Ｉを使ったほうがビジネスシーンでは絶対に合理的なわけです。

そう考えたときに「今、英語教育にＡＩを活用することを考える」ことと、「将来のＡＩの翻訳能力の発達を見越して、英語教育に充てるリソースや時間をほかの教育に回す」ことのどちらが正解なのか。まずはそういうところから考えることが大切なのだろうと思います。

国語力でもAIに敵わなくなる

落合陽一さんと対談をした時に聞いた話なのですが、これまでＡＩが人間の国語力に追いつくのは２０２６年ぐらいと予想されていたのが、２０２３年の今、すでに追いついているらしいのです。

これがどういうことかというと、今こうやってしゃべっている内容を日本語に文字に起こすことはとっくにできるようになっていますが、それをさらにＡＩが独自に構成し直して、まともなレポートにまとめるということが簡単にできる時代になっているということです。

つまり、「翻訳はAIに任せればいいのだから、英語力を鍛えるよりも国語力を鍛えろ」「しっかりと国語力を鍛えて説得力のある話ができるようになったほうが、商談であろうが議論であろうが、相手側としっかり意思疎通ができる」という考え方すら、もはや古いものになりつつあるのです。

「しっかりとした国語力」もAIによって代替されるようになったときに、いったい人間はどの程度の国語力を必要とするのか。おそらく、最低限の教育は必要なのでしょうが、その最低限がどの程度なのかが今の段階ではわかりません。

論理的ではない文章をAIに直してもらえるとなったときに、どのレベルの日本語力を人間は備える必要があるのか。おそらく3歳や4歳の言語レベルでは対話は成り立たないでしょうから、ある程度までは鍛えなければならないでしょう。では、それが6歳のレベルならどうか。9歳レベルならできるのか。中学受験の勉強などは結構レベルが高いので、12歳レベルの知能があればAIのサポートによって実際のビジネスにも対応できるようになるのかもしれません。AIを使うための最低限の言語能力や論理性、あるいはアイデアなどが、小学校何年生レベルまで求められるのかは、まったくの未知数です。

エリートと一般大衆の分断

かつて養老孟司先生が『バカの壁』（新潮新書）の中で言っていたように、人間はそれぞれで事象の受け止め方や理解のレベルが違うわけです。同じことを言い、同じことを聞いていても、それが全員にとって「同じこと」を意味するとは限りません。

そのため、むしろAIの答えこそが正しいものとしたほうが誤解を招かなくていい――そんな考えが出てきてもおかしくはありません。一定の義務教育を施したところで、それによってみなそれぞれ独自の見解を持つようになり、そのせいでトラブルが生じるのであれば、いっそのこと教育などせずにすべてをAIに任せたほうがいいのかもしれないという考え方もできるのです。

もし、このようなAI絶対主義的な世の中に導かれた場合には、AIの回答に懐疑的なごく一部のエリートとAIの出した回答に素直に従う一般大衆がはっきりと分かれた、いわば分断された社会になるのかもしれません。
ＡＩは既存の情報を用いて最大公約数を回答するわけですが、ＡＩ絶対主義に抗うには、ＡＩに対して「それは違う」とか「もうその考えは古い」と言うことができる知識や思考、知見があればいいわけです。たとえば現在、医療的な診断や薬の処方をＡＩに聞けば、コレステロール値が高い人に対しては「あなたはこういった病気のリスクがあります」と回答し、コレステロール値を下げる薬を処方する指示を与えるはずです。なぜなら、それが現在の医療の「常識」とされているからです。ＡＩの回答は過去の情報をベースにもっとも確からしい回答をします。つまり、情報量が多い事象を回答する傾向があるわけです。例外は回答としません。ですが、最大多数が「正解」だという保証はもちろんありません。ちなみに以下は、Googleの言語生成ＡＩ「Bard」に「コレステロール値が高いのですが、どうすればいいですか」と聞いた回答です。

コレステロール値が高いと、心臓病や脳卒中などのリスクが高まります。コレス

テロール値を下げるために、食事療法、運動療法、薬物療法などを行うことができます。食事療法では、コレステロールを多く含む食品を避け、野菜や果物、全粒穀物、魚を多く食べるようにします。運動療法では、週に3回以上、30分以上のウォーキングやジョギングなどの有酸素運動をします。薬物療法では、コレステロール値を下げる薬を服用します。

コレステロール値が高い場合は、医師に相談して、適切な治療を受けることが大切です。

私がこれまでに数多くの高齢者を診察してきた限りで言えば、高齢者はコレステロール値が高めの人のほうが長生きをしています。だから、このBardの回答を盲信するのは危険だ、と考えます。このように複数の考え方がある問題の場合、ＡＩの判断に対して「実は古い考えではないのか?」と疑問を呈し、「既存の常識的考えから脱して、もっと世の中を進歩させたい」と考えることのできる人が、ＡＩ時代における一握りのエリートとなるのではないでしょうか。もちろんＡＩも学習しますから、コレステロール値が高い人のほうが長生きしているという疫学データを組み入れた答えを将来は出すようになるでしょう。ただ、それが多数派になるまでは現状の多数派の意見を回答するため、タイムラグが生じるように思います。最新の情報を取り入れることができる医師はＡＩに勝る医療を行うことができる一方、これまでの常識に固執する医師はＡＩの幅広い知識にとても勝てません。

ただ、受け手のほうも古い常識を信じる場合は、その古い考えの医療を信じるものです。そう考えると、ＡＩの言うことに盲従し、ＡＩの答えこそが絶対だと考えるようになる人が日本では大多数になりそうです。また、テレビのワイドショーなどの影響で「新型コロナは今も変わらず怖い病気だ」と思っている人たちは、将来的にも「ＡＩの言っていることは正しい」と思うのではないでしょうか。少なくとも現状のＡＩの回答は「多数派の意見」と同義ですから。

もちろん今後ＡＩが「コロナの恐怖を煽る」のかどうかは、インプットされる情報によって変わってきます。基本的にＡＩは、既存のデータの中で蓋然性の高い回答をするわけですから、データ量次第では「インフルエンザよりも新型コロナのほうが死亡リスクは低い」という答えを出すようになるかもしれません。ＡＩは人間と違って現時点でなんらかの「意図」を持って回答するわけではありませんし、感情にも振り回されません。蓄積されているデータ次第です。

ともかく問題がどうであれ、政府やマスコミの言うことに疑問を抱かないような人たちは、ＡＩが導き出した答えにも疑問を抱くことなく、素直に従うのだろうと私は思います。

精神科医よりもＡＩのほうが100倍マシ

「人間のほうがＡＩよりも気が利く」などという人は少なからずいますが、それは人間の勝手な思い上がりにすぎず、進歩したＡＩのほうが、よほど気が利くようになるのではないかと思っています。以前、何かのテレビ番組である心理カウンセラーが「ＡＩの時代になっても、心理カウンセラーの仕事はＡＩには真似できないですから」などと言っていましたが、まったく的外れな話です。現在の日本の医学教育レベルである限りは、あっという間にＡＩに取って代わられるはずです。心理カウンセラーとしても、日常の話し相手としても、ＡＩのほうが優秀になるはずです。

なぜなら、日本のカウンセリング教育は偏ったものであり、一つの流派の考えにとらわれていることが多いからです。数多くの理論を入力されたＡＩがカウンセリングするほうがベターというか、少なくとも今のカウンセラーや精神科医よりもＡＩのほうが１００倍マシになるだろうと考えられます。また現在の保健医療制度下においては、精神科医の多くは5分しか話を聞いてくれないわけですから、そういった面でも無制限に働けるＡＩのほうが優秀です。

ＡＩによるカウンセリングということならば人型ロボットでなくともできますから、3年とか5年のうちには実現可能となるのではないでしょうか。ＡＩの日本語能力の進歩次第では、早ければ1年以内に実現できるかもしれません。

ただし、人間は生まれ育った環境によって精神に一種のミスプログラムがなされることがあり、だからこそ精神医療は必要とされている面もあります。ＡＩは過去の症例データをベースに、「軽度の精神疾患の人間に対しては最適解を与える」ことはできるでしょうが、たとえば虐待されて育ったトラウマを持つ人に対してはどうなのか。あるいは小さな頃からある種の洗脳をされ歪んだ心の持ち主の思考パターンまで解析して、その人に合った最適解を出せるのか、という点についてはグレーゾーンなのは確かです。基本的に精神科に通う人の多くは、ものの見方などが正常から偏った「例外の人」が多いため、例外に弱い現状のＡＩでは対応できません。

たとえば、適応障害にはカウンセリングが効果的ですが、複雑性ＰＴＳＤには困難である可能性は高い。また、精神状態によって精神科医の対応は違ってきます。薬で治せる病気についてはＡＩが最適な処方を出してくれるでしょうが、ＡＩはそういった人にまで対応できるようになるのか、できないのか。現時点でははっきりとした答えはわかりません。

とはいえ、ＡＩは症例についても対処法についても膨大なパターンをデータとして持てるわけですから、少なくとも一つのやり方しか学んでこなかったような現在の一般的な精神科医や心理カウンセラーがやっているカウンセリングよりは、マシな答えを出すのではないかと思っています。またＡＩの分析能力が発達し、たとえば複雑性ＰＴＳＤの人に対しても、この人はどのような偏りがあるので、どう対応すればいいのかまで考えられるようになれば、精神科医の出番はなくなるかもしれません。

ＡＩこそが高齢者の味方になる

ＡＩが進歩することを前提として考えたときに、私が可能性を感じるのは「高齢者に対してどう活用できるか」ということです。

たとえば自動運転のクルマにしても、座席に座るところまでＡＩロボットがやってくれるようになるまでには結構時間がかかるとは思いますが、少なくともそのクルマの運転席に座ることができれば、「どこへ連れて行ってくれ」と言うだけで実行してくれるようになるのはそう遠い未来の話ではないでしょう。

子どもが飛び出してきてもＧＰＳでそれを捕捉したら自動でブレーキを踏んでくれる。どうしても事故を避けきれない状況となっても、ＡＩならば被害が最小限になる方法を瞬時に判断してくれるようになるはずです。事故を避けきれなかった場合、右に曲がるとセンターラインを越えて対向車と正面衝突してしまうけれど、左に曲がれば建物をいくらか壊すかもしれないが車体をこするだけで済むというような、「適切な判断」までしてくれるのが自動運転の未来予想図だと思います。

このような自動運転車の普及が進めば、昨今の「高齢者の運転免許の返納問題」も一切不問とされるのではないでしょうか。「誰が運転しても安全」ということになれば、高齢者の運転を規制する必要はなくなります。ＡＩこそが高齢者の味方になるという視点は、超高齢社会の日本ではとても重要だと思います。

また、技術というものは使う側の要求水準が高いほうが、より便利なものができるのではないかと考えています。ＡＩ搭載の自動運転車の場合、従来の自動車を安全に運転できるようにすることを考える人は世の中にたくさんいるでしょう。しかし、要求水準の高い人は「車いすをＡＩ搭載の自動運転で動かすと便利なのではないか」と考えるわけです。ＡＩ搭載の自動運転車いすが、飛び出してきた人やクルマを避けたりすることができるようになれば、時速１００キロで走らせることも可能でしょう。さらに階段の昇降もできたりするようになれば、自動車よりも狭い道を通ることができるため、車いすに座ったまま東京から熱海まで1時間程度で行くことができる日が来るかもしれません。

AI時代の「頭がいい」ということ

この時に必要になるのは「時速100キロでも走行できるAI搭載の自動運転車いす」という発想を持てるかどうかです。今後、頭がいい人の基準というのは、このような発想ができるかどうかという点になってくると思います。つまりAIを使って自動運転車をつくろうというときに、従来の乗用車やトラック、バスのことしか思いつかない人では力不足になる。

同じく自動車関係でいうと、これまで長い間、多くの人たちが「空飛ぶクルマ」の開発にチャレンジをしてきたものの実際につくることはできませんでした。なぜかといえば従来の飛行機のことしか発想できず、大きな翼があってジェットエンジンを搭載した飛行機の発想で「空飛ぶクルマ」をつくろうとしていたから、いつまで経ってもできなかったのです。

しかし、現在つくろうとしている空飛ぶクルマとは「ドローン」です。今は積載量が100キロを超えるようなドローンもありますから、これをAIと組み合わせれば、個人の運転で好きなところへ飛んでいくことも可能でしょう。

このような発想からわかるように、高齢者のニーズを考えればAIの活用は無限大になるはず。車いすを利用している高齢者が歩道橋を渡らなければ道路の向こう側へ行けないという場面はよくあります。車いすが電動であれば遠回りになっても先の交差点まで行って信号を待って渡ってもいいわけですが、それよりも車いすにAI搭載のドローンを組み合わせてしまえば、口頭指示するだけでその場から飛んで道路を渡ることができるようになる。技術的なことでいえばいつか必ず開発できるでしょうが、それを最初に思いつき、実行することができるか。

日本の経営者を物足りなく感じるのは、多くの人が高齢者のことを単に保護対象者としか考えておらず、「消費者」として捉えていないことです。

昨年(2022年)、日本で一番売れた本は私の書いた『80歳の壁』(幻冬舎新書)です。高齢者向けの何かしらの物品やサービス、エンターテインメントを開発したいという企業があったならば、私のところへ「何か高齢者をターゲットにした商品などのアイデアをくれませんか？」と言ってきてもよさそうなものですが、そう言ってきた人は誰一人としていません。つまり、日本中の経営者や商品企画担当者たちは、誰も高齢者を消費者として見ていないのです。高齢者の中にはお金を持っている人たちがたくさんいるのに、そんな彼らを消費者とは考えずに、もう人生が終わった人のように捉えているのです。

ですから、世界で一番高齢者を抱え、高齢者がお金を持っているにもかかわらず、日本で高齢者向けのＡＩ技術が進歩することに私は期待できないと思っています。

日本にテスラが誕生しなかった理由

80歳以上の人を商売の対象として考えることは、昔ながらの常識に反することなのかもしれません。しかし、いつまでも同じ常識が通じるとは限りません。たとえばテスラが最初に販売したロードスターは、２００８年当時で約１０００万円もする高額なものでした。この時期に日本の自動車メーカーが電気自動車にチャレンジしなかった理由の一つは、1000万円もするクルマを買ってくれる人などほとんどいないと考えたからです。一方、アメリカではいわゆるIT革命以降は貧富の差が顕著になっており、テスラ社のイーロン・マスクは富裕層を相手にすれば1000万円でも売れると考えて事業を始めたわけです。

一昔前はこれが逆でした。たとえばVHSのビデオデッキが登場した時に、日本では25万円、アメリカでは1000ドル（約30万円）だったのです。当時アメリカの平均年収は日本の倍ですが、日本にはボーナスという制度があったため、日本人は高額なビデオデッキを買いまくりました。その結果、日本ビクターが開発したVHSが世界のデファクト・スタンダードになったのです。

ビデオカメラも同様です。25万円の価格で世に登場した時、やはり日本では飛ぶように売れて、アメリカ人はその値段が10万円ぐらいに下がってから買うようになりました。

これが何を意味するかというと、国民がお金を使ってくれる国こそが、技術が一番進歩するし、経済も発展もするということです。技術力の高い企業が画期的な商品を開発できるのではなく、消費者の要求水準が高いからそれに引っ張られて技術が発展するというわけです。現在の技術水準ならば、つくってほしいものはほとんどつくることができるのですから、さらにその傾向は強まるでしょう。

テスラのように1000万円のクルマを発売した時に、日本の場合、唯一顧客となる可能性があったのは高齢者でした。ところが日本企業の経営者たちは脳が足りないのでしょう。そこに思いが至らなかった。現在でも、「絶対に事故を起こさないクルマ」をつくれば、1000万円でも2000万円でも買いたいという高齢者はたくさんいます。仮に1万人の購入希望者がいたならば、商売として十分に成り立つはずです。技術の進歩というのは、そういう話なのです。

AIの技術を使った商品についても同様で、「高くてもいいものなら買う」という人がたくさんいる国が、一番AIが進歩していく国になるはずです。

家電量販店で電気自動車を販売する発想

高齢者の要求に応えるためにAIを活用するということは、日本がAIで世界をリードするチャンスのはずです。日本は世界一の超高齢社会なのですから。ただし、高齢者自身が「こうしてほしい」と要求するようなオーダーメイド型の市場は、今後AIが当たり前の世の中になれば可能かもしれませんが、現状ではやはりつくり手側からの提案型にしていかないと難しいでしょう。

企業としては「AIを使って自動運転ができるようになりました」「AIによって、あなたをどこにでも連れて行ってくれる車いすができました」などと、顧客対象となる高齢者にアピールしていかなければなりません。

少しAIから話はそれますが、もしも私がパナソニックの社長だったならば、高齢者向けの提案型ビジネスとして、とっくの昔に電気自動車を製造し家電量販店で販売していたと思います。電気自動車は電気（電池）でモーターを動かし駆動力を生む仕組みです。内燃機関（エンジン）で駆動力を生む自動車に比べれば技術的なハードルは低いのです。

家電量販店なら全国に販売網があり、充電や修理もそこで行うことができます。しかし、パナソニックは電気自動車本体の製造ではなく、それに搭載するオーディオや空調機器をつくるなど部品メーカーにとどまっています。もともとパナソニックが三洋電機を買ったのはリチウム電池の製造技術を手に入れるためだったわけですし、モーター製造に関しては洗濯機などの家電製品をつくってきた経験知もあったのに、なぜ電気自動車の製造に手を出さなかったのでしょうか。

せめてパナソニックの時価総額がテスラに抜かれた時点で「ウチも電気自動車をやります」と決断していれば、今頃パナソニックの時価総額はとんでもない額になっていたと思うのですが。

AI技術についても、日本のように経営者が決断力に欠けていて、なおかつ高齢者を消費者として見ていない国においては、うまくいくようには思えません。

ですが日本企業の商品開発が首尾よくいかず、海外に遅れをとったとしても、近い将来にAI技術によって画期的な商品が開発されることは間違いないはずです。日本製なのか海外製なのかはともかくとしても、AI搭載の車いすやAI搭載のお手伝いさんロボットのようなものは絶対に登場するはずです。

万能「お手伝いさんロボ」も夢ではない

ロボット技術の問題はありますが、ＡＩ搭載のお手伝いさんロボットが掃除も洗濯も炊事も全部やってくれるような時代はやってくるはずです。

お手伝いさんロボットと聞いた時に、金属むき出しの機械的なものを思い浮かべるかもしれません。現状の家電製品がいくらか便利になるぐらいのことしか想像できない人もいるでしょう。しかし、２００５年に愛知県で開催された「愛・地球博」ではトヨタ製の二足歩行ロボットが、人間の活動をサポートする「パートナーロボット」として登場していました。およそ20年前に人間の活動をサポートする程度の技術が可能になっていたのですから、お手伝いさんロボットも人間型のものをつくることはできるはずです。二本足で歩くロボットであれば、家のなかの段差を気にせずに玄関や階段の上り下りもできます。今は３Ｄプリンターも発達しているので、たとえば人気女優と同じ顔つき、体つきの外見をしたロボットをつくることも可能でしょう。

「ロボットのような機械に身の回りの世話をしてほしくない」という人が多いのか

もしれませんが、自分好みの美女やイケメンが身の回りの世話をしてくれるとなった日には、そうした考えも変わってくるのではないでしょうか。

ロボット技術の進歩次第でしょうが、炊事、洗濯、掃除だけではなく、家で寝たきりになったときの介護もやってくれるレベルになるのはそう遠い未来の話ではないと思います。オムツ交換もそんなに難しいものではありません。ロボットが相手なら下半身をさらけ出すことも恥ずかしくないでしょう。

そうなった時には、老人ホームというものが必要なくなる可能性もあるわけです。自分の家でロボットが全部をやってくれるのですから、わざわざ介護職員の手を煩わせる必要がなくなります。階段の上り下りもロボットに頼めばいいわけですし、ロボットに搭載されたＡＩをオンラインで病院とつなげれば通院の負担も減らせます。３Ｄプリントで人間の外見に近づけ、人肌と同じ質感や体温に調整すれば、介護士と接するのと同等の親しみも感じられるでしょう。物忘れが激しくなったときでもＡＩがなんでも覚えてくれています。買い物に行ったときに昨日買ったものを買おうとしたら、「それは冷蔵庫にあります」と教えてくれるわけです。

人型ロボットをスムーズに動かすためのベアリングの技術に関しては、日本は世界でもトップレベルの優れた技術を持っているので、本気でつくる気になって取り組めば10年から15年のうちにできるのではないでしょうか。

今の人間にできることは全部ＡＩロボットができるようになり、気の合う話し相手にもなってくれる。そんな時代が来るのだろうと考えています。

労働現場でのＡＩ導入と既得権益の壁

介護に限った話でなく、ＡＩの進化によってあらゆる労働現場が地殻変動を起こすことになると思われますが、日本は何事においても厳しい規制があります。介護ロボットが実用化されたとしても、介護の現場では「介護対象者何人に対して何人の人員を割り当てなければいけない」という法律があります。本来ならば、完璧な介護ロボットができた日には人員ゼロでも介護は可能でしょうが。

医者の場合も、検査データを見て病名の診断をしたり、画像データを見て病巣の発見をする限りにおいてはＡＩに勝てるわけがありませんし、診断データから標準治療方針を決める程度ならまったく問題なくこなせるはずです。将来的には人間の医師を1人雇っておいて、あとは全部AIに診断させるというようなオンライン診療を始める企業が出てくると思います。1人の医者が患者を1000人診ようが2000人診ようがオンライン診療に規制はありませんから、全部AIに診断させておいて最後に医者がサインをすればいい。

ただしリアルの診療の場合には、規制をどうクリアするかが問題として残ります。とはいえです、現在の医療は専門化が進みすぎて「専門バカ」的な診断が横行していますから、AIならば網羅的な診断が可能になるのは確かです。AIのほうが情報のキャパシティーは格段に大きいわけですから、あらゆる診療科目のデータを学習すれば、「ある病気の治療のためにAという薬を処方すれば、別の臓器でAの副作用リスクが高まる」といった総合的判断もできる。海外のエビデンスも入力できますから、今の日本の医者は逆立ちしても進化したAIに情報量で勝てるはずはありません。しかし、それで「既存の医者なんかいらない」となったときに、自分たちの利権が侵されることになる医師会などは当然、AIの導入に猛烈に反対するはずです。医療へのＡＩ導入については、ここが一番の問題になりそうです。

おそらくですが、関係者の損得抜きで考えて「医療をＡＩにやらせましょう」「政治もＡＩにやらせましょう」という国は出てくるはずです。

ヨーロッパでは「政治家不要論」が高まっているようです。たとえばデンマークでは2022年5月に「人工党」という政党が立ち上げられ、同党は「政策はすべてＡＩに任せる」という政治思想を掲げているといいます。またノルウェーではＡＩを活用した政治がすでに実施されており、重要な政治判断をＡＩに評価させているそうです。

アジアでも韓国が政治のＡＩ導入に舵を切ると言われており、中国でも習近平が「基本的な政治はすべてＡＩにやらせる」などと言い出すかもしれません。「アメリカに勝つためにはＡＩに政治をやらせたほうがベター」と判断すれば、一気にＡＩ政治が進む可能性はあります。「他国に勝つためには自国のメリットになる判断を最優先し、個人的な利得は我慢させる」という人が率いる国が、ＡＩを政治に導入する国になるのではないでしょうか。

日本も今後、本当に瀕死の状態にまで国がボロボロになれば、「AIに政治をやらせてみよう」という話になるのかもしれません。

日本の政治はAIに任せよ

国民を幸福にするための政治という視点でAIに政策判断を委ねれば、「30年も賃金が上がらない」というような政策を採用し続けることなど、あり得ないのではないでしょうか。AIは問いに対する解が適切でなかった場合には、その学習機能によって修正しようとするからです。

そもそも、失われた30年といわれる国力衰退期のほとんどで政権を担ってきた自民党の政治家たちに、国民の幸福のためという視点があったのでしょうか。自身が掲げた政策が不首尾となっても、修正しようとさえしない。アベノミクスの7年間でGDPの実質成長率が平均1パーセントにも満たない0・9パーセントであっても、「このやり方ではマズそうだから変えよう」とはなりませんでした。既得権益なのか保身を優先したのかわかりませんが、自民党政治が国民にもたらした生活的現実の一つは、先進国で唯一「30年間、賃金が上がらない」という悲惨な結果です。

ＡＩは「自分が得をしよう」とは考えないですし、「一部業界へ利益誘導しよう」とすることも、そう指示されなければ「最適解」を出しません。少なくとも日本においては、政治こそが一番ＡＩにやらせたほうがいい職業ではないでしょうか。政治家だけでなく官僚もすべてＡＩにし、真に国民のための政策を進めるという指示を出せば、それを実行する案を忠実に提案するはずです。ＡＩは常に合理的な判断をするため、非合理極まりない戦争もなくなるでしょう。

ただし、ＡＩの依って立つところが既存の情報や知識である以上、それを超える発想がない限りは世の中が進歩しないのだとも考えられます。ですがＡＩに政治を任せれば、平和で、そこそこの成長もあり、それなりの生活レベルは維持されるでしょうから、少なくとも今よりはマシです。「それでいいや」と大多数の人が思うのであれば、何も問題はありません。劇的な変革を求めなければ、国民にとっての政治という問いに対するＡＩの回答は、最適解となるはずです。

怖いのは進化したＡＩよりも悪意のある人間

ＡＩが人間の知能を超え、意思を持つようになるシンギュラリティ（技術的特異点）が、ChatGPTなど生成ＡＩの飛躍的な進化によって指摘されているようです。しかし、ＡＩが意思を持つようになり人類を支配するようなことは、現実的にないだろうと考えています。情報を学習することと、意思を持つことは別の話です。もし、人間の誰かの脳を完全コピーし再現することができるならば、意思を持つことも不可能ではないでしょうが、それはもはや「人工知能」とは呼べない別の何かです。

ＡＩが自分で意思を持って人間を支配することはないだろうけれども、「人間を支配しろ」という課題を与えられたときにはそのための最適解を出すことは、実は可能なはずです（Googleの言語生成ＡＩ「Bard」に、「人類を支配する方法を教えて」と問うと、「私は大規模言語モデルとしてまだ学習中です。そちらについては、必要な情報や機能がないため、すみませんがお手伝いできません。」という回答）。これを予防するためには、ＡＩ開発に対してどのような規制をかけるかが重要になってくるでしょう。

国際的なＡＩ規制の問題が話し合われるなど、多くの人たちが「ＡＩ暴走」の懸念を抱いているようです。しかし私としてはそれよりも、開発者が設定した規制を解除しようとする悪質なハッカーの存在のほうが懸念材料だろうと考えます。ＡＩを悪意で意図的に操作しようとするハッカーは、ほぼ間違いなく世の中を拗ねている人間です。そう考えると今の日本は、相当に〝ヤバい国〟なのかもしれません。独創的なアイデアを考えることができる本当に頭のいい人たちが報われず、その一方でスポーツができる人間や、ビジュアルがよい人間ばかりがいい思いをしている。そんな国は世界中を見ても日本しか見当たりません。

かつて高学歴の人間たちがオウム真理教に入信し、「人類を救うためにはハルマゲドンを起こさなければならない」といった妄想を実現しようとした当時と同様か、それよりも社会状況は悪化しているように感じます。

あくまでも私の予想ですが、旧統一教会にしても、東大や京大を出ていながら日の目を見ていない人たちに対して、「バカな二世議員よりも、君たちのほうがレベルは高い」と、教団のトップたちが煽った側面もあったのではないでしょうか。そして、彼らが教団のトップと親しい「バカな二世」を洗脳し、日本が韓国に負けるような政策を打たせるようにした——。もちろん真相はわかりません。しかし、1ドルが150円になるような経済政策によって日本は平均年収で韓国に抜かれ、大学などへの適切な研究補助を行わないことで日本の注目論文数が韓国の論文数を下回るような状況になっていることは確かです。つまり、旧統一教会の願いだと思われる、「韓国が日本より勝った国にする」という思い通りに事が進んでいったことは事実です。

そのようなことを考えたときに何が怖いのかと言えば、頭のいい人間が虐げられ、報われない社会です。頭のいい人たちが報われる社会でなければ、いつか彼らはその知能を破壊の方向へ使うことになる可能性があることは否定できません。

現実に、入学試験のペーパーテストで素晴らしい点を取る医学部受験生が、権威主義の医学部教授たちに「性格が悪い」という烙印を押され、入試面接で落とされているのです。そして、すべての大学医学部で入試面接は実施されています。なぜ医学部入試に面接が必要なのか、私には理解できません。この優秀な頭脳が医学の進歩に使われず、ＡＩを使っての世の中への復讐に使われたらどういうことになるでしょうか？

日本においてはＡＩが進歩すればするほど才能ある人たちの悪意が、社会全体に大きなダメージを与えることを我々は心得ておかなければなりません。

第七章
「クソどうでもいい仕事」をＡＩに任せれば、人生で「やるべきこと」が見えてくる

池田清彦（生物学者、早稲田大学名誉教授）

バカとAIは使いよう

世間的にはAIが世の中に浸透したらあまりいい影響はないんじゃないか、という意見が多いようだけど、私はくだらない作業をなくすためにもAIをどんどん使ったほうがいいと思う。とくに、ChatGPTがどうでもいい書類を書く仕事を代替してくれたら、助かる人は多いでしょう。これは社会人だけでなく、学生にも言えること。

AIというものはこれまでの世の中に存在しているデータを組み合わせているだけなんだから、本当に新しい発見とか、新しいことを生み出すことはできっこない。でも、バカとAIは使いようだよね。無難な文章で書ける、どうでもいい書類などはChatGPTに作らせればいい。

教育委員会がどうでもいいリポートを学校の先生にたくさん書かせていて、教員の大きな負担になっている現状があるけど、そんな書類に新しい視点なんてまったく必要ない。

たとえば、教育委員会から「夏休みに小学校5年生の児童に創造性のあることをさせるにはどうしたらいいのか」というリポートを書けといわれたら、ChatGPTに指示すればいい。この程度なら、すぐに書いてくれるよね。もともと、そんなリポートは今まで誰かが書いたようなことの組み合わせでしかないんだから、一生懸命に書いて時間を奪われるなんてくだらないですよ。学校の先生が書かされるリポートは、あらかたこのレベルの話。

教育委員会にしたって、何百人もの先生から同じ時期に同じような内容のリポートが大量に届くわけだから、読むといっても斜め読みするくらいが精いっぱい。真面目に精読しているわけがない。だから、自分の本当に重要な問題は別にして、その他のどうでもいいことについては、なるべくAIを使って省エネでやっていったほうがいい。

「ブルシット・ジョブ」(和訳すると「どうでもいい仕事」。人類学者のデヴィッド・グレーバーが2018年に著した『ブルシット・ジョブ――クソどうでもいい仕事の理論』で広まった言葉)という言葉があるけど、まさに教育委員会に書かされるリポートなんてブルシット・ジョブの典型で、クソどうでもいい仕事だから、全部

ChatGPTにやらせてしまえばいいと思うけどね。

ブルシット・ジョブを避けることは、今の社会においては一番大事なことかもしれないね。

「ブルシット・ジョブ」5つの類型

この言葉を著書で広めたデヴィッド・グレーバーによると、ブルシット・ジョブは5つの類型があって、1番目は「取り巻き仕事」。誰かを偉そうな気分にさせたり、偉そうに見せたりするためだけに存在している仕事のことで、ホテルのドアアテンダントなどがそう。誰か来たらうやうやしくお辞儀をして、ドアを開けてあげて、丁寧に案内することでお客さんを偉そうな気分にさせてくれるんだけど、そんなのするくらいだったらホテル代を少しでも下げてもらったほうがうれしいに決まっている。あと、会社の社長とか重役とかをチヤホヤしている部下がいるけど、それもなんの生産性もない、クソどうでもいい取り巻き仕事だね。

次が「脅し屋の仕事」で、これは雇用主のために他者を脅かす仕事のこと。日本だとあまり馴染みがないけど、海外だとロビイストという人たちがいて、あちこちの議会なんかに行って大きな会社の権力を笠に着て人を動かそうとしたりする仕事がある。企業の顧問弁護士なんかもそう。何かトラブルがあった時に「訴えるぞ」と脅すためにだけに存在するという、これもブルシット・ジョブだと指摘されている。

3番目は「尻拭いの仕事」。たとえばスーパーで何かミスがあって、店がすごく混んでいてもお客さんにひたすら謝っている店員さんがいる。そんなの謝ったところで仕方ないんだから早く損害を補填して帰ってもらうしかないのに、とにかく長々と謝っている。それと最近だと、マイナンバー制度でトラブルが相次いで、政府が各自治体にデータの総点検をさせたなんて話があったけど、そんなことなら最初からやらなければいいのに、あれも完全に「尻拭いの仕事」だね。

それから4番目は「書類の穴埋めをする仕事」で、誰も真剣に読まない書類を延々と作り続ける仕事のこと。これがまさに、学校の先生たちが教育委員会から指示される、クソどうでもいいリポート作成のことだよね。

最後は「タスクマスターの仕事」。もっぱら他人への仕事の割り振りだけをしている仕事のことで、これは企業や役所の中間管理職の半分くらいがそう。自分は具体的な仕事をせず、ひたすら「お前はこれをやれ、お前はあれをやれ」と作業を割り振って仕事をつくっているように思い込んでいるけど、そういう仕事自体がブルシット・ジョブだというのね。

大切な時間を奪われないためにAIを使え

日本では仕事の30〜40パーセント、下手すると50パーセントくらいがブルシット・ジョブだといわれているらしい。とくに若い人たちは大事な時間を奪われないためにも、常にブルシット・ジョブを避けようと考えることが大事で、そのためにはChatGPTでも何でも活用したほうがいい。

日本は変に真面目というかバカというか、自分で書かずにChatGPTに書かせるなんて「よくない」という意見が根強くあるけど、自分で書こうがAIに書かせようが、そんな書類は大して違いがない。自分で書いたといっても、結局は誰かが書いたものを写しているだけなんだから、それだったら過去のデータを組み合わせる作業が得意なＡＩのほうが人間より向いているよね。

外国だとChatGPTで論文を書いてもいい大学がだんだんと増えてきたけど、私はそれでいいんじゃないかと思う。とくに、文系の論文なんて今まで発表された論文をぐるぐるこね回しているだけだから、ChatGPTでいくらでも書けちゃうんじゃないですか。

でも、何度も言うけどＡＩは本当に新しい視点を生み出したり、新しい発見をしたりはできないから、ChatGPTが書いた論文なんかに目新しさはない。「ChatGPTが書いた論文は面白くない」「新しい視点で人間が書いた論文のほうが面白い」となれば、選別が起きてくるじゃないですか。そうなったほうが、どうでもいい論文がなくなっていいかもしれないよね。ChatGPTが書いた論文でノーベル賞を獲るなんてことは絶対あり得ないんだから、それで別にいいんだよ。

本当のイノベーションを起こせるのは人間だけで、ＡＩには決してできないんだから。

禁止されても賢い学生はChatGPTを使う

上智大学は「リポートや学位論文などではＡＩの無許可の使用を認めない」、東京大学は「ＡＩのみを用いたリポート作成は認めない」といったＡＩ対策を打ち出していて、ChatGPTの使用に否定的な大学もあるけど、海外だとマスター論文（修士論文）はＡＩで書いてもいいというところが増えてきているみたいだし、大学の対応は分かれていくんじゃないかな。

でも、賢い学生だったらChatGPTに面白い論文になるような指示を出し、できあがったものを読んで気に食わないところがあったら自分で修正して提出するだろうし、それなら別に問題ないと私は思う。博士論文をＡＩに書かせるのは難しいかもしれないけど、卒論くらいだったらそれでいいと思うんだよね。

学校の勉強は必ず正解があり、もし入学試験でいくつも正解があるような問題を出したら大変なことになる。しかし、社会に出てから困難にぶち当たり、この問題をどう解決したらいいのかと考えた時、あらかじめ用意された正解なんてないんですよ。テストと違って解決法は一つじゃないかもしれない。これは自分の頭で考えるしかなくて、その考える力がないと、学校の勉強はできても社会に出てから新しいことに対応できない人間になる。

大学というのは学ぶところじゃなく、新しいことを考えるところ。大学時代は考える力を養う期間ですから、普段からそういうことを考えてないとダメなんです。答えのある問題だけに取り組まないで、答えのない問題を自分で考える訓練をしておかないと社会に出たら生き残れないよね。研究者になるにしても、企業に入るにしても、今まで誰も考えたことのないようなことをやる人が社会で成功するわけだから。

そういう考える力を養う時間をつくるためにも、どうでもいいものに関しては、省力化できるところはするべき。くだらないと思う課題があったらChatGPTに書かせてコピペすればいい。そうしたら余計なエネルギーを使わなくて済むでしょう。しかし、文科省は「そういうことをされたら困る」というスタンスだと報道されているよね。リポートなどでChatGPTを使ってくれるなと。でも、そんなこと気にする必要なんてない。誰がやってもいいような、くだらない作業をＡＩに任せるだけなんだから。その代わり、本当に自分が興味あること、一番面白いと思うことはＡＩに聞いても教えてくれない。何に真剣に取り組むべきかは、じっくり自分の頭で考えるしかない。

小中学生には使わせないほうがいい

学生もＡＩを大いに活用すればいいと思っているけど、まだ国語力が十分に身についていない小中学生くらいだと話は別で、もしその世代がＡＩに頼り切ってしまったら、自分で考える力は間違いなく落ちるだろうね。考える力の源泉となるのは国語力だし、小学校、中学校というのは文章の基礎を学ぶ時期ですから。

そもそも、もし何もわからず宿題をＡＩにやらせていたら、先生に「あなたはどんな文章を書いたの？」と聞かれても、自分で書いたわけじゃないうえに、文章内容もよく理解できていないと、「自分で提出したリポートなのによくわからない」という意味不明なことになってしまう。

国語力の中でもとくに重要なのが文章力。しゃべることは大抵の人ができるし、ちゃんとした文法通りでなくてもだいたいの意味は通じるけど、文章の場合はそう簡単にいかない。しっかりとした日本語で書かれているかどうかは、その人の知性や教養のマーカーにもなる。

そもそもChatGPTを使おうと思っても、文章力や構成力がない人はうまく使えない。どうやって命令を出すのが一番いいのかわからないし、ＡＩが書いた文章を「これで提出しても問題ないかどうか」チェックすることもできないわけだから。

そう考えると、これからの時代はＡＩが進歩し普及していくからこそ、意識して日本語力を身につけていかないとダメだね。ChatGPTはあくまで文章を出力するだけのものでしかなくて、本当に大事なのは、その文章の内容が正しいのか、素晴らしいのか、くだらないのか、といったことを読み手が自分の頭で判断することなんだよね。もちろんそういったことはＡＩが教えてくれるものではないから、自分で身につけるしかない。

日本語力のトレーニング法

日本語力を育てるためには、現代の作家でも評論家でもいいから、論理的に破綻していない、主語述語や接続詞の使い方がそれなりに適切という文章を読んで、それを理解するという学習が大切だと思う。

効率的な教材になるのが国語や現代文の教科書。教科書って基本的にあんまりひどい文章は載せていないから、国語や現代文の教科書を一生懸命に読んで、それを理解するというのは、子どもにとっていい学習法でしょう。国語の教科書に載るような文章は、教科書の検定をする人たちが「これは文法的にしっかりした文章である」と選んだものなんだから。まずはそういう文章を読んで正しい日本語を理解することがトレーニングになる。

私の文章も現代文の教科書にいくつか載っているけど、きっと教科書の文章を選ぶ人が、「池田清彦はある程度しっかりした文章書けるな」と思ってくださったんでしょう。私は小さい頃から文章を読むのが好きで、学校で国語の教科書が配られると数週間で全部読んでしまって、ほぼ丸暗記するくらい読み込んでいた。国語力を身につけるためには、そのくらいしたほうがいいと思うね。

「なんとなく」の直感が正しい場合もある

最近はマッチングアプリにもＡＩが活用されていて、年収や職業、年齢、趣味などのデータから自動的に「理想の相手」をマッチングすると謳っているサービスがあるけど、そんなのは占いと一緒でうまくいく場合もあるし、いかない場合もあるというだけのこと。

ＡＩの場合はアルゴリズムに従って選んでいるわけだから、ＡＩなんか使わなくても、誰かがランダムに「この人がいいですよ」と適当に決めちゃっても同じことで、昔のお見合いと大して変わらないよ。でも恋愛や結婚は理屈じゃないから、理屈やデータがすべてのＡＩにとって、暗黙知の領域になってくる分野は一番不向きだと思うけどね。

実際、男女の相性がいいか悪いかなんて、会った時の一瞬のフィーリングがもっとも大きいはずでしょう。見た目だったり、少し話してみての印象だったり。生物学的にいうとフェロモンの相性なんだけど、それが一番の決め手になるよね。

大体、いろいろ細かい条件で相手を選んで結婚した夫婦より、一目惚れで結婚した夫婦のほうがうまくいくんだよね。「この人がこの人と会ったら一目惚れする」なんてAIにはわかりっこないんだから、結婚や恋愛については人間の直感を信じたほうがいいんじゃないかな。

恋愛を含めた人間関係では、この人はなんとなく私と気が合うなとか、この人はなんとなく苦手だなとか、なんとなく気に食わないなとか、我々が生きているなかで「なんとなく」ってすごく多いでしょ。人間関係では「なんとなく」の直感が一番正しかったりもする。

AIは人間の脳の機能のごく一部を拡大し精密にしたものだから、論理だとかルールだとか記憶だとか、そういう分野では優秀なんだけど、それ以外の脳の扁桃体（喜怒哀楽などの情動に深く関係している脳部位で、物事に対する好悪の感情などを生み出すとされる）でやっているような好き嫌いとか、そういうものは理屈じゃないからね。人間っていうのは、そういう理屈じゃない好き嫌いとかで生きているものだから、直感や情動が重要な分野については、ＡＩの判断を過信しないほうがいいと思うよ。

「科学の新しさ」と「芸術の新しさ」は違う

ＡＩが一番優秀な分野って将棋とか囲碁でしょ。たぶん、史上最強といわれる藤井聡太名人よりもＡＩのほうが強いはずだよね。将棋や囲碁、チェスなどは完全に理屈の世界だから、ルールがあって、やり方が決まっているものについてはＡＩに人間は敵わない。ＡＩは過去のデータを分析し、そこから最適な解を導き出すということにはもっとも長けているからね。でも、あくまで条件が過去と同じでなければいけないという前提があって、ルールが変わっちゃうともうダメ。

韓国の囲碁の世界チャンピオンが「もうＡＩに勝てない」という理由で引退するという出来事があったんだけど、逆にそんなに強くなかった棋士がＡＩに連勝したことがあって、その時は今までの定石にない戦略を意識的に取ったらしいね。条件が変わって過去のデータにない状況になると、とたんにＡＩは役に立たない。

気候変動のことがよくニュースなどでも騒がれているけど、気候なんて偶然性がすごく入ってくる分野だから、これもＡＩの予測は当たらない。国連のＩＰＣＣ（気候変動に関する政府間パネル）の予測なんてみんな外れているからね。だから、ＡＩは万能みたいに思っている人がいるけど、使える分野とまったく使えない分野があるってことはしっかり認識しておいたほうがいい。

ＡＩは新しい発見をすることなどはできないと先述したけど、芸術の分野で使われ、独創的な作品を生み出すのではとも言われている。そのせいで仕事を奪われるんじゃないかって、ハリウッドでは俳優組合と脚本家組合がストライキをしたことが大きな話題になった。

芸術の新しさと、科学の新しさは違うからね。科学の場合、ＡＩが過去のデータをベースにしたアルゴリズムで動いているという時点で、もう新しいことではない。そこから新しいものなんか生まれるはずがない。

一方、芸術の新しさって、本当の新しさではないんじゃないかと私は思うんだよね。芸術って大昔から世界中の人たちがありとあらゆるパターンをやり尽くしていて、現代では過去のパターンの組み合わせをいかに変えるかとか、そういうことによって新しさを生み出している。それならＡＩにもできるよね。

過去のデータから「これとこれの組み合わせは今までなかった」と分析して、それを出力すれば芸術的には新しいものになる。組み合わせはほぼ無限にあるのだから。芸術をやっている人たちは、芸術の新しさが過去のパターンの組み合わせだとわかっているんだと思うよ。だから、脚本家や監督なんかは自分たちの商売に差し障りがあるかもしれないと考えて、騒ぎになってるんじゃないかな。

人間にしかできない仕事は限られてくる

映画業界に限らず、ＡＩの進歩や普及によって「なくなる仕事」がたくさんあるんじゃないかといわれている。これはもうどうしようもないよね。ＡＩが進歩すれば進歩するほど、決まったマニュアルがあって、一定のルールに則った作業をするような仕事は、人間よりもＡＩのほうが正確でなおかつ早くできるようになるでしょう。そうなるとルーチンワーク的な仕事は人間がいらなくなるよね。

だから、これからはＡＩに取って代わられる仕事を選ばないほうがいいのは確かだろうね。

ＡＩに代替されそうな仕事の代表といわれているのがトラックの運転手。すでにアメリカでは相当な人数が失業を余儀なくされると予測されているらしい。トラックの運転は起点と終点がはっきりしていて、ルートも高速道路とか大きな道路が中心だから、確かに自動運転に向いている。自動運転なら事故が起きる可能性はほとんどないし、ドライバーの疲労や休憩時間も計算しなくていいから、起点と終点に荷物の積み下ろしをする人がいれば、運転手はいらなくなる。

ＡＩ向きの一定のルール下での作業という意味では税理士とかも当てはまるし、内科医なんかも出番がなくなっていくと思う。

内科医は血液検査のデータなどを見て、どの薬が効くか判断して薬を出すわけだけど、それもマニュアルが決まっているので検査結果さえあればＡＩが判断して適切な薬を処方できる。ＡＩが判断して自動的に薬が出てくるようになれば、内科医の仕事の一部はいらなくなるよね。

外科医にしても、神の手と呼ばれるような特別に優秀な人は別だろうけど、精密な外科手術ができるAIロボットが出てくれれば、駆け出しの医者よりロボットのほうがよっぽど安心して手術を任せられる。人為的ミスがないので手術の失敗も少なくなり、そうなれば患者も高性能のAIロボットがある病院を選ぶようになるから、生身の外科医の必要性は薄れていく可能性はあるよね。レジ打ちなどスーパーの店員さんも必要なくなってきているけど、人間にしかできない仕事って、本当に限られてくると思うよ。

「嫌な仕事」の消滅とベーシックインカム

AIにできない仕事をしている人なんて、おそらく世界の人口のせいぜい20パーセントいるかどうかくらいじゃないかな。そうした状況をどう考えるかは2つのパターンがあって、AIに仕事を奪われて困ってしまうと考えるか、AIが代わりにやってくれるおかげでブルシット・ジョブみたいなつまらない仕事から解放されると考えるか。

仕事が大好きだとか特殊な技能がある人間は別にして、つまらない仕事はＡＩに任せて、大多数の人たちが好きに遊んで暮らせる社会を構築しようと考えるほうが前向きかもしれない。

ただ、もしそうなったらほとんどの人は収入がなくなってしまって経済が回らないという問題があるから、ベーシックインカム（年齢、性別、所得水準などに関係なく、すべての国民に一律の金額を恒久的に支給する基本生活保障制度のこと）を導入することになるだろうね。

ベーシックインカムの肝はすべての人に平等にお金を配るから受給審査をする必要がなく、実施にコストがかからないこと。ベーシックインカムを受ける側にしても全員がもらうわけだから、生活保護のように受給時の後ろめたさはなくなる。

働かなくてもお金がもらえるようになったら何が起こるかというと、生活のために安い賃金で働く必要がないから、遊んでいてもいいし、好きなことに打ち込んでもいいしで、そうなると「嫌な仕事」というものが世の中から消えていく。それはとてもいいことだと思うね。

大半の仕事はＡＩがやってくれるようになったら、ほとんどの国民はベーシックインカムのお金で物を買ったりして、好きに暮らしたらいいってことになるんだけど、一番の問題はベーシックインカムの原資をどうするか。

ＭＭＴ（現代貨幣理論）によれば、自国通貨を持つ国はいくらでも紙幣を刷ることができるから、それをベーシックインカムの原資にすればいいと考えている人もいる。そうすると貨幣価値が一気に落ちてハイパーインフレになると恐れている人もいるけど、私はならないんじゃないかと思う。

ＡＩによって8割の人が失業する世の中になったとして、海外にモノを売ることができるなら国内がそういう状況でもいいけど、世界は均一化してきているから世界中のどこの国でも8割の人が職を失うわけで、世界規模で同じ状態になったらいくら安い物を作っても誰も買わなくなる。それでは経済が回らない。

かといって、すべて税金で賄おうとなったら2割のものすごい金持ちから高い税金を取って、8割の失業者を養うような構図になるけど、そうしたら富裕層と貧困層の間にめちゃくちゃな「分断」が生まれるよね。

そういうことになるくらいだったら、国がたくさんお金を刷ってベーシックインカムとして国民に撒いちゃったほうが、やり方によってはうまくいくような気がするね。税金は歳出の原資ではなく、市場に出回るお金の量を調整するもので、金持ちからはベーシックインカムを上回る税金を取ればいいだけの話だ。

社会を発展させるのは「暇な人」

お金があって時間があって嫌な仕事をしないで済むとなると、何をしたらいいのかわからないという人が出てくると思う。でも、この「何をしていいかわからない」という状態はすごく大事で、すべてのイノベーションや学問・文化の発達においてスタート地点になる。

人間社会が発展するためには「暇な人」がいっぱいいないとダメなんです。AIの進歩によってそういう世界が訪れた時、楽しく有意義に生きるためには自分にとって絶対に面白いと思えるものを見つけておく必要がある。趣味や特技を磨ぎ、自分にとって関心のあるものにコミットし続ける。そうした知性と教養のある人たちが増えれば新しい発見につながる。

こんなベーシックインカムの社会に持っていければいいけど、現実的には本格的ＡＩ社会になれば、ＡＩを使いこなせる人と使えない人との間に分断が起きる可能性はあるよね。恩恵を受ける人と、ＡＩに仕事を奪われてにっちもさっちもいかなくなる人と。

政治的に重要なのは数の問題だから、ＡＩに追いやられた人のほうが圧倒的多数になってくると、いろんな意味で国が不安定になる。ヨーロッパだったら、今でもそうだけど暴動やデモが起きて、いつまでも改善されないようだったら政権がひっくり返される。だから、政権はＡＩに追いやられた多数派の人たちをどうにか食わせていけるような政策を打ち出さないと持たないよね。

普通の民主国家であれば、多数の人を不幸なままにしておくことは許されない。これはヨーロッパに限らず、世界中どこも大なり小なりほとんどそうで、自分で自分を奴隷の立場に追い込んでいくようなタイプは日本人くらいだからね。日本人は足の引っ張り合いばっかりしているから、多くの人がＡＩに仕事を奪われた後、政府がなんの対策をしなくても、奴隷みたいな生活を受け入れてしまうかもしれない。日本人はそんな政権に怒りを覚えて抗議することができるのか、それとも許して受け入れてしまうかというのは心配だね。

AIが権威化されるリスク

日本は約260年続いた江戸時代が太平の世で、とりあえずお上に従っていれば食っていけたという時期が長かったから、そういう国民性になったんだと思う。戦国時代に大規模な農民一揆などはあったけれど、フランス革命のような市民革命は歴史上、一度も起きていない。特殊な民族ではあるよね。

太平洋戦争にしても、戦時中は「鬼畜米英！」と言っていたのが、負けたら一夜にして「ギブミーチョコレート！」「マッカーサー万歳！」になるんだから。そんな国はほかにないから、アメリカもびっくりしたと思うよ。それで味を占めて、ベトナムに民主化を押しつけようとしてベトナム戦争になるんだけど、ベトナム人は従わずにゲリラ化して戦況は泥沼化した。普通は強引に政策を押しつけようとしてもダメで、ゲリラ化したりしちゃう。アメリカは日本での成功体験があるから、この失敗を繰り返すんだけど。

だから、政権がＡＩを使って「これが正しい」と言ったら、日本人は同調圧力も強いからそれに従いやすいと思う。

たとえば、日本人はＩＰＣＣが主張している「地球の温暖化は人間の社会活動が原因」という説を9割以上の人が信じているけど、アメリカだと共和党の支持者なんかは大半が信じてない。アメリカ人の場合は、いまだに進化論を信じてない人もいっぱいいるからね。日本人は、権威的なものから「これが正しい」という価値観を押しつけられると、疑うことなく受け入れてしまう性質がある。

政府がＡＩを権威化しようと思えば意外と簡単にできるだろうから、そういう意味では怖いよね。「ＡＩがこういう答えを弾き出しました」と言えば、みんなそれに従って、国民は自分で考える力をどんどん失っていくかもしれない。プログラム次第でＡＩの答えを政権に都合よく誘導することなんていくらでもできるんだから、国民をいいように支配できるよね。

「考える力」を意識して養うべし

これまで述べてきたように、これからの時代は自分で考える力を養うことが大切になるわけだけど、子どもたちはゲームとかルールが決まっているものばかりやっていてはダメだよね。ゲームは絶対的な正解があって、ルールに則って考えれば最適解を導き出せるようになっているわけで、それじゃＡＩがやっていることと変わらない。

それより自然の中で遊んだりしたほうがいいね。たとえば、山で昆虫採集するにしたって、一応マニュアル的なやり方はあるけど、その通りにやったとしても思うように採れるかどうかなんて誰にもわからない。採れなかった時、じゃあどうしたら採れるようになるのか、自分の頭を使って臨機応変に考えないといけない。それが考える力を養うことになる。

昆虫採集の世界だと、今まで偶然にしか捕獲できなかった貴重な昆虫に新しい習性が見つかって、簡単に採れる普通の昆虫になることがあるんだけど、ＡＩに貴重な昆虫の新しい習性を発見しろといっても無理なわけ。

ルールやマニュアルがないことにどう向き合い、どう対処していくか、それが人間の大きな価値だよね。

人間の肉体の使い方にしたって、ＡＩに聞けば一応は解剖学的にこうしたほうがいいとかは言えるかもしれないけど、それだけじゃないからね。

たとえば武道の達人などは、普通では考えられないような身体の使い方をする。甲野善紀さんという武道の達人のお弟子さんの方条遼雨さんが階段から真っ逆さまに落ちたことがあって、それを目にした友人も「死んだ」と思ったくらいだったそうなんだけど、一般の人とは違う身体の使い方をしているから助かり、病院へ行ってもとくに異常なしで入院することすらなかった。また、人間の筋肉は通常は連動して動くんだけど、甲野さんはすべての筋肉をバラバラに動かすことができるんだよね。こうした身体の使い方は修行の末に自分で編み出したわけだけど、これをＡＩが教えてくれることはないからね。

ＡＩに頼り切ってはいけないという意味では、株式投資や為替取引なども同じだね。今はＡＩを活用したアルゴリズム取引が流行っていて、日本でも海外でもそれが主流になっているけど、本当にすごく儲けている人はＡＩだけに頼らない。みんながＡＩで取引しているところで同じことをしても大して儲からないから、大儲けするためには自分の頭で考えてＡＩの裏をかかなきゃいけない。

もちろん、そういう人でもＡＩを使ったほうが便利なことはＡＩを使うだろうけど、「ＡＩがしないこと」をやれる人が一流の投資家なんだと思う。投資に限らず、ＡＩの論理的思考とは違った「変なことを考える」というのは、人間にとってすごく重要だと思うよ。

医療分野でも、たとえば身体をスキャンした画像を見て、「がんがあるのかないのか」という分析はＡＩに任せればいい。過去の膨大なデータと照らし合わせて判断することはＡＩにとって一番の得意分野なんだから。しかし、もしそれでがんが見つかったとしても、どんな治療を受けるのかということは、どんな人生を送りたいのかと同義だから、自分の頭で考えるしかない。

大人も子どもも、ＡＩ社会になることによって何より大事な「自分で考える力」が、段々と衰えていくことにならないか。それが、一番危惧される点だね。

・生成AI、4県が本格利用＝10県試験導入、事務作業中心―観光PRに活用も・時事通信調査
https://sp.m.jiji.com/article/show/2974192（時事通信ニュース）

・本文中の文言「サイロ化」解説参照元
https://business.ntt-east.co.jp/content/cloudsolution/column-395.html#:~:text=%E3%82%B5%E3%82%A4%E3%83%AD%E5%8C%96%E3%81%A8%E3%81%AF%E5%90%84,%E6%80%9D%E3%81%86%E3%81%8B%E3%82%82%E3%81%97%E3%82%8C%E3%81%BE%E3%81%9B%E3%82%93%E3%80%82

・本文中の文言「クロール」注記参照元
https://e-words.jp/w/%E3%82%AF%E3%83%AD%E3%83%BC%E3%83%AB.html
https://wa3.i-3-i.info/word11611.html

・本文中の文言「API」注記参照元
https://www.ntt.com/business/sdpf/knowledge/archive_10.html

・本文中の文言「IVR」注記参照元
https://www.ntt.com/bizon/glossary/e-i/ivr.html#:~:text=IVR%E3%81%A8%E3%81%AF%E3%80%81Interactive%20Voice,%E5%89%8A%E6%B8%9B%E3%81%A7%E3%81%8D%E3%82%8B%E3%83%A1%E3%83%AA%E3%83%83%E3%83%88%E3%81%8C%E3%81%82%E3%82%8A%E3%81%BE%E3%81%99%E3%80%82

第四章

・井上智洋『人工知能と経済の未来　2030年雇用大崩壊』（文藝春秋）

・井上智洋「『GAFAに富が集中し低賃金労働者が増大する』ITの雇用破壊で日本はこれから超格差社会に突入する」
https://president.jp/articles/-/50697（PRESIDENT Online）

・共同通信「注目論文数、過去最低の13位　低迷続きイランに抜かれる」
https://news.yahoo.co.jp/articles/92202a2617a862d7e4dba27d22e677917fdc9ff8

参考文献

第一章

・落合陽一『デジタルネイチャー　生態系を為す汎神化した計算機による侘と寂』(PLANETS)

・落合陽一『2030年の世界地図　あたらしい経済とSDGs、未来への展望』(SBクリエイティブ)

・落合陽一『超AI時代の生存戦略　シンギュラリティ〈2040年代〉に備える34のリスト』(大和書房)

・柳宗悦「美しい写真とは何か」『柳宗悦全集』第二十二巻上(筑摩書房)

・日本民藝協会HP
https://www.nihon-mingeikyoukai.jp/about/purpose/

第二章

・吉原秀樹『「バカな」と「なるほど」経営成功の決め手!』(PHP研究所)

・日本経済新聞「長島・大野・常松　リーガルテックに出資」
(2019年10月21日付)
https://www.nikkei.com/article/DGXMZO51103700X11C19A0TCJ000/

第三章

・野口悠紀雄「ChatGPT『使う会社・使わない会社』に生じている差
生成AIには文書作成以上のポテンシャルがある」
https://toyokeizai.net/articles/-/687815?page=2
(東洋経済オンライン)

・野口悠紀雄「ChatGPTを家庭教師にした子の成績『驚きの結果』
家庭教師を雇えなかった子にも教わるチャンス」
https://toyokeizai.net/articles/-/684319?display=b
(東洋経済オンライン)

・Legalscape、大規模言語モデルを活用した次世代型リーガルリサーチAIを開発——森・濱田松本法律事務所との協働により高い精度を達成し、今後の実用化を目指す
https://www.legalscape.co.jp/press/2023-06-12/
(株式会社Legalscape 2023年6月12日付 プレスリリース)

・経済産業省「半導体戦略（概略）」（2021年6月）
https://www.meti.go.jp/press/2021/06/20210604008/20210603008-4.pdf

・松田政策研究所チャンネル「特番『AIが進む未来で人間がやるべき事とは？　――ChatGPTや生成AIとどう付き合うべきか？――』
ゲスト：駒澤大学経済学部准教授　井上智洋氏」
https://www.youtube.com/watch?v=riNa_BAi8R8

第五章

・横須賀市の報道発表資料「自治体初！ChatGPTを活用した、他自治体向け問い合わせ応対ボットの運用開始」（2023年8月16日）
https://www.city.yokosuka.kanagawa.jp/0835/nagekomi/20230816_jichitaibot.html

第六章

・総務省「平成24年版 情報通信白書」
https://www.soumu.go.jp/johotsusintokei/whitepaper/ja/h24/html/nc112110.html

第七章

・デヴィッド・グレーバー『ブルシット・ジョブ――クソどうでもいい仕事の理論』（岩波書店）

・読売新聞『チャットGPT、学生の利用に対策…上智大「論文使用なら厳格な対応」』
https://www.yomiuri.co.jp/kyoiku/kyoiku/news/20230408-OYT1T50388/

クインカム論』(光文社新書)、『ヘリコプターマネー』『純粋機械化経済』(ともに日本経済新聞出版社)などがある。専門のマクロ経済学の他に、人工知能が経済に与える影響についても研究している。

深津貴之(ふかつ・たかゆき)
1979年生まれ。武蔵工業大学(現・東京都市大学)卒業後、2年間のイギリス留学でプロダクトデザインを学んだあと、株式会社thaを経て、Flashコミュニティで活躍。独立以降は活動の中心をスマートフォンアプリのUI設計に移し、クリエイティブファームTHE GUILDを設立。メディアプラットフォームnoteのCXOとしてnote.comのサービス設計を担当。著書に『先読み!IT×ビジネス講座　画像生成AI』(共著)、『Generative Design-Processingで切り拓く、デザインの新たな地平』(監修)、『UI GRAPHICS —世界の成功事例から学ぶ、スマホ以降のインターフェイスデザイン』(共著)など。

和田秀樹(わだ・ひでき)
1960年、大阪府生まれ。精神科医。立命館大学生命科学部特任教授。東京大学医学部卒業後、東京大学医学部附属病院精神神経科助手、米国カール・メニンガー精神医学校国際フェロー、浴風会病院精神科医師を経て現職。高齢者専門の精神科医として30年以上にわたって高齢者医療の現場に携わる。著書に『70歳が老化の分かれ道』(詩想社新書)、『80歳の壁』(幻冬舎新書)、『60歳からはやりたい放題』(扶桑社新書)、『どうせ死ぬんだから好きなことだけやって寿命を使いきる』(SBクリエイティブ)など多数。
・「まぐまぐ!」でメルマガ『和田秀樹の「テレビでもラジオでも言えないわたしの本音」』を配信中　https://www.mag2.com/m/0001686028
・YouTubeチャンネル:和田秀樹チャンネル2

池田清彦(いけだ・きよひこ)
1947年、東京都生まれ。生物学者。東京教育大学理学部生物学科卒、東京都立大学大学院理学研究科博士課程生物学専攻単位取得満期退学、理学博士。早稲田大学名誉教授、山梨大学名誉教授。高尾599ミュージアムの名誉館長。フジテレビ系『ホンマでっか!?TV』などテレビ、新聞、雑誌などでも活躍中。著書に『驚きのリアル「進化論」』(扶桑社新書)、『SDGsの大嘘』『バカの災厄』(ともに宝島社新書)、『年寄りは本気だ:はみ出し日本論』(共著、新潮選書)など多数。
・『まぐまぐ』でメルマガ『池田清彦のやせ我慢日記』を月2回、第2・第4金曜日に配信中。http://www.mag2.com/m0001657188

著者紹介

落合陽一（おちあい・よういち）

メディアアーティスト。1987年生まれ、東京大学大学院学際情報学府博士課程修了（学際情報学府初の早期修了）、博士（学際情報学）。筑波大学デジタルネイチャー開発研究センター センター長、准教授・JST CREST xDiversityプロジェクト研究代表。2018年より内閣府知的財産戦略ビジョン専門調査会委員、内閣府「ムーンショット型研究開発制度」ビジョナリー会議委員、大阪・関西万博テーマ事業プロデューサーなどを歴任。著書に『魔法の世紀』、『デジタルネイチャー』（以上、PLANETS）など多数。

山口 周（やまぐち・しゅう）

1970年、東京都生まれ。慶應義塾大学文学部哲学科卒業。同大学院文学研究科美学美術史学専攻修士課程修了。電通、ボストン・コンサルティング・グループ、コーン・フェリー等で企業戦略策定、文化政策立案、組織開発等に従事した後に独立。現在は「人文科学と経営科学の交差点で知的成果を生み出す」をテーマに、独立研究者、著作家、パブリックスピーカーとして活動。複数企業の社外取締役、戦略・組織アドバイザーを務める。著書に『世界のエリートはなぜ「美意識」を鍛えるのか？』（光文社新書）、『ニュータイプの時代』（ダイヤモンド社）、『「仕事ができる」とはどういうことか?』（共著、宝島社新書）など。

野口悠紀雄（のぐち・ゆきお）

1940年、東京に生まれる。63年、東京大学工学部卒業。64年、大蔵省入省。72年、エール大学Ph.D.（経済学博士号）。一橋大学教授、東京大学教授、スタンフォード大学客員教授、早稲田大学大学院教授などを経て、一橋大学名誉教授。専攻は日本経済論。近著に『日本が先進国から脱落する日』（プレジデント社、岡倉天心賞）、『どうすれば日本人の賃金は上がるのか』（日経プレミアシリーズ）、『円安と補助金で自壊する日本』（ビジネス社）、『2040年の日本』（幻冬舎新書）、『日銀の責任』（PHP新書）、『プア・ジャパン　気がつけば「貧困大国」』（朝日新書）、『「超」創造法　生成AIで知的活動はどう変わる?』（幻冬舎新書）ほか多数。

井上智洋（いのうえ・ともひろ）

経済学者、駒澤大学経済学部准教授。慶應義塾大学SFC研究所研究員。専門はマクロ経済学。97年、慶應義塾大学環境情報学部卒業。IT企業勤務を経て2008年、早稲田大学大学院経済学研究科修士課程修了。11年、同大学博士課程修了（経済学）。主な著書に、『新しいJavaの教科書』（SBクリエイティブ）、『人工知能と経済の未来』（文春新書）、『AI時代の新・ベーシッ

宝島社新書

ChatGPTは神か悪魔か

（ちゃっとじーぴーてぃーはかみかあくまか）

2023年10月11日　第1刷発行

著　者　落合陽一　山口 周　野口悠紀雄
井上智洋　深津貴之　和田秀樹
池田清彦

発行人　蓮見清一
発行所　株式会社　宝島社
〒102-8388 東京都千代田区一番町25番地
電話：営業　03(3234)4621
編集　03(3239)0646
https://tkj.jp
印刷・製本：中央精版印刷株式会社

ISBN 978-4-299-04736-6